話題のつぼみ

会話に花を咲かせましょう

小俣 雅子

山梨日日新聞社

話題のつぼみ

会話に花を咲かせましょう

目次

言葉のつぼみ
どうして、語彙を豊かにしないといけないのでしょう?

調和のつぼみ
あいさつや返事に添えた情報が、会話の〝糸口〟になる

関係性のつぼみ
声のトーンを合わせると、調和の空気が生まれます

気くばりのつぼみ 会えない時間が育てるのは、男女の〝愛〟だけではない

人づきあいのつぼみ
同じことに接しても、感じるものは人それぞれです

カバー・本文イラスト　守山　泉

言葉のつぼみ

どうして、語彙を豊かにしないといけないのでしょう?

「語彙を豊かに」の理由

私たちは、黙っているときも言葉を使っています。

ひとり静かに過ごしているとき、1日を振り返ったり、明日の予定に思いを馳せているとき、自分の知っている言葉を使って、分析したり、理解を深めたり、反省したり、計画を立てたりしている。

なにも言わずにテレビや映画を観ているとき、だれかの話を聴いたり、本を読んだりしているときも、言葉を使っているという実感はないのだが、実際には、自分のアタマの中にある言葉を活用して、感想や意見をまとめたり、感激や情報を記憶したりしている。

そう！　私たちは、自分のまわりで起こっていることを、「言葉」によって認識しているのです。だから、知っている言葉の数が少なかったり、知ってはいても、その言葉の意味を理解していなかったりすると、そこから導き出される結論は、単純で、底の浅いものになってしまいます。

こういうシーンを思い浮かべてください。

いま、アナタは、腹が立って腹が立って、もう、怒りの矛先をどこに向けていいのか分からない状況になっている。「怒り」という言葉しか知らないと、解決の方法が分からない。ゴミ箱を蹴飛ばしてみたり、ロッカーを拳で殴ってみたりしても、怒りは収まらない。自分の気持ちを言葉で言いあらわすことができれば、そこに、波立つ感情の正体を見つけ出し、解決の糸口をたぐり寄せることができる。

「この気持ちは、焦り、焦燥感から生まれている」

仕事上のライバルに大きな後れを取った自分に落胆し、焦りに焦ってパニックになっていたと認識できれば、そこから、挽回のための工夫や努力に思考が向き、怒りの苦しみから自分を解き放つことができる。

「いまの気分は、嫉妬、ジェラシーのかたまりだ」

嫉妬するがあまりの怒りだと分かれば、あとは、どう向き合うかを決められる。

「屈辱感にからめ取られているから、湧きあがった怒りだ」

相手の言動から、ひどくバカにされたように感じての怒りなら、押しのけるのか、受け流すのか、自分の心を守るために進む方向を探すことができる。

言葉は、発言や会話をしているときだけ使われているわけではなく、クチを閉じているときも、アタマの中で懸命に働いているのです。

どこを折るの？「話の腰」

この春から、留学生に接する機会が増えた。ほかのアジアの国々から日本に来て数年、日本語の文法を学び、語彙を増やし、大学に進んだり、日本の企業に就職したりすることを希望している若者が多い。覚えたばかりの日本語を駆使して、日常会話のレッスンをするクラスを担当しています。

先日、ひとりの学生から、「別のもの、とくに、体のパーツをひきあいに出す表現が多くて、アルバイト先でも苦労している」という発言があった。

「店長のお説教は、毎日同じことばかりで、耳にタコができる」「お客さんの前で転んだ。顔から火が出るほど恥ずかしい！」「明日発売になるゲームソフト、ノドから手が出るほど欲しいなぁ～」

「耳にタコができる」「顔から火が出る」「ノドから手が出る」、いずれも、頭のなかに浮かぶのはオカルト映画のワンシーンだったそうだ。そして、この時点で、耳にできるタコは軟体動物の「蛸」ではなく、角質化した皮膚だと伝えると心底驚き、目からウロコが落ちたような表情を浮かべていた。

この週末は、週明けすぐの授業内容を準備している。他人《ひと》の話を聞く姿勢として、「話の腰を折らない」を取りあげようと思っているのだが、さて、どのような説明をするといいのか、さきほどから頭を抱えている。

相手が話題にしていることを、自分が知っていたり体験していたりすると、「その先は、こうよね！」とクチをはさみたくなるのが人の性《さが》。自分の言葉にブレーキをかけ、相手から「話題」と、スポットライトを浴びて話す「場所（ステージ）」を奪ってはいけないと説明しよう。

「話の腰って、どこにあるんですか？」

こういう質問には、なんと答えようか？　話はどこで中断させられても気分は悪い。そうなると、相手が話しているあいだは、すべてが〝腰〟。「にくづきに要」と書く大事な部分だと思ってのぞんだほうがいいだろう。

言葉とは、その発音を覚えるだけではなく、意味を理解して、さらに、他人に分かりやすく説明できて初めて、「知っている‼」と胸を張れるもの。この、当たり前のことが、ハードルのように先まで並んでいる。留学生との会話レッスンは、まだまだ第一歩を踏み出したばかりです。

心に残る先生のひとこと

小学校高学年の担任の顔を懐かしく思い浮かべるとき、同時に、耳の奥に保存されている先生の言葉が飛び出してくる。

「床のワックスがけをしなくていい」

なぜ、この発言なんだろう⁉　もっと心にとどめておくべき大切な言葉もあっただろうに、私が覚えているのは、このひとことなのです。

ほかのクラスの担任から、「マサコちゃんのいる5組だけ、教室の床がピカピカじゃないわね」と言われ、非難されたような、劣っていると指摘されたような、なんだか嫌な気分になった。それを担任の先生に伝えたところ、返ってきた答えが、「君たちが、すべって転ぶ心配がないから、ワックスがけをしなくていい」というものであった。

さまざまな視点から、モノを見たほうがいいという深読みもできるが、いまとなっては、先生にとって、比重の重い発言だったのかどうかを確かめるスベがない。

教訓にしてほしいと願いながら話したことが、まるごと、相手に伝わることもあるが、何気なく口をついて出た言葉が、相手の記憶に色濃く残ることもある。言ったほうは、おそらく、忘れているのに……ということもある。

「成功が努力の前に来るのは、辞書の中だけだ」

これは、前者のほうの典型例で、この言葉を座右の銘としているのは、私の古い友人だ。受験勉強がはかどらず、自暴自棄になっているときに、担任の先生からかけられた言葉だと聞いている。

「お父さんが器用でよかったわね‼」
これは、後者に当てはまる。
夏休みの自由課題に、丸太から彫り出した動物を提出したところ、あまりにも見事なできばえに学級担任が発したひとこと。木工細工だから「お父さん」という決めつけにも反発を覚え、彼女は、そこで、ノミを捨てた。これもまた、私の知人の話だが、ひょっとしたら、そこで、優れた彫刻家をひとり失ったのかもしれない。〝日本のミケランジェロ〟の芽が摘まれてしまったのかもしれません。

多様化する「だいじょうぶ」

日本での就職を目指している留学生に、話し方の指導をするようになって丸1年が経過。その間に、アルバイト先での失敗を相談されることもあった。

まずは、「おしぼり」。

ビールジョッキを倒したテーブルから、大きな声が飛んでくる。

「お手ふきを持ってきてくれ！」「おーい‼　お手ふき！　急いで‼」

「おしぼり＝お手ふき」を知らなかった彼女は、ぼうぜんと立ちつくして涙目になった。

レストランでアルバイトを始めた留学生は、「だいじょうぶ」に振りまわされた。

フロアで働くとき、「だいじょうぶ」はＮＯの意味になる。

「コーヒーのおかわりは、いかがですか？」

「だいじょうぶです」

ところが、厨房の手伝いをするとき、「だいじょうぶ」はＹＥＳに変身する。

「ボールに入っている調味料を、全部、鍋に入れていいんですか？」

「だいじょうぶだよ」

彼の失敗は、シェフの「だいじょうぶ」をNOと受け取って、まったく味つけがされていない料理を作ってしまったこと。盛りつけの直前に味見したシェフからは、「全部入れて、だいじょうぶって言っただろ⁉」と怒られ、大混乱‼　かなり上達していた日本語への自信が崩壊した。

「だいじょうぶ」は、「手術は成功！　もう、だいじょうぶです」のように、危険や心配がないこと、安心していいことを伝えるときに使う。「食事会の日にちは、予定どおりでだいじょうぶです」のように、間違いなく確かなことの表現にも用いる。

そこに加わった新顔が、相手の承諾を得る質問と、その返事だ。たとえば、洋服のショッピングで、「試着しても、だいじょうぶですか？」「はい、だいじょうぶです」。

さらに、それが必要かどうかを、問うたり答えたりするものもある。荷物を持つという申し出に、「軽いから、だいじょうぶです」と断ったことはありませんか？

外国から日本に来た人に「だいじょうぶ」のニュアンスが伝わったかどうか心配になったら、同じ意味を持つ表現を追加する。みずからの思いを正しく伝えるために「言葉」はあるのですから。

フン・プン・カイ・ガイ

電車の座席でウトウトまどろんでいたら、女子高校生たちの話し声が耳に飛び込んできた。

「ねえ、池袋まで、あとナンフン⁉」

焦っている様子が、声の色に出ている。

「ヨンフンくらいじゃない？　ギリ、セーフかも」「ダメだよ！　ヨンフンじゃ、間に合わない‼」

うたた寝でゆるんだ頭が、懸命に働き出す。

「ナンフン」「ヨンフン」

「ナンプン」「ヨンプン」

「プ」が「フ」になっただけで、なんという脱力感！　チカラが抜け落ちるような錯覚におちいった。

後日、講座を開いている大学でも、「ナンフン」を耳にする機会があった。休憩時間に教室に入って準備をしていたら、もう授業が始まっていると勘違いした学生が駆け込んでくる。

「あっ先生がいるぅ？　あれぇ〜、ワタシ、遅刻ですかぁ⁉」

「まだチャイムが鳴ってないから、そんなに焦らないで」

「あぁ良かったぁ〜、チャイムまで、あとナンフンありますか？」

またチカラが抜けて、床にくずれ落ちそうになった。

さらに、「サンカイ」も、ひんぱんに登場する。「4号館のサンカイに人気のパン屋さんがあります」「階段が苦手なので、サンカイの教室への移動は気が重いです」といった具合だ。3回ではなく、山海でもなく、3階の「ガイ」が「カイ」になっている。

「プン」は、1分、3分、4分、6分、8分、10分。「フン」は、2分、5分、7分、9分。大きく二つのグループに分かれるが、「階」は、3階だけが「ガイ」と、極端に少数派だ。

今回、すこし調べてみたら、「分」については、小さい「っ」と「ん」のあとは「プン」となるとあり、これは、あっさりと納得できた。

「階」のほうは、「ン」の直後の音は、濁れるものなら濁るという熟語のお約束によるものらしいことが分かった。

それならば、4階だって、意識すれば「ヨンガイ」と言えるけれど、本来は「シカイ」だったそうで、「シ（死）」を避けて「ヨン」になったといういきさつがあるから、濁音にしなくていいのだという。

言葉に歴史あり！　昭和生まれの私は、「プン」と「フン」、「カイ」と「ガイ」の使い分けを守っていきます。

注意を受けるうちが〝花〟

「苦言は耳に痛いけど、言われているうちが〝花〟！　40歳、50歳を過ぎたら、もう誰も、なにも言ってくれなくなるから」

アナウンサーになりたてのころ、私の教育係だった先輩が放った名言。ホント〜に、その通りだった。

当時は、あやまった読み方や言い方をすると、まわりに人がいようがいまいが、すぐその場で注意されるので、たまらなく恥ずかしかったことを覚えている。しかし、その恥ずかしさも込みで行われる記憶の書きかえが、おなじ轍を踏まないようにするために功を奏していたのも事実だ。

そして、いまは、人生の後輩たちに間違いを指摘するほうの年齢に達しているのだが、これが、タイミングのむずかしいこと！　ためらわずに、軽やかな口調で注意できるといいのだが、その一瞬の好機を逃すことが多い。

私の誕生日が桜桃忌と重なることが話題になったときも、「あぁ、ニュウスイ自殺した太宰治が見つかった日ね」と自信たっぷりに主張され、その堂々とした表情を見ていたら

「入水（じゅすい）」だと切り出せなくなってしまった。
「WOWOW（ワウワウ）」を「ウオーウオー」と叫ばれたときも、「他人事（ひとごと）」を「タニンゴト」、「肉汁（にくじゅう）」を「ニクジル」と連発されたときも、相手の勢いに飲まれてしまった。あとから、話をむし返して注意したのでは、（間違えたときに、なぜ言ってくれないの？　何日も覚えてるなんて、嫌な感じ！）と相手のプライドを傷つけてしまうだろう。

間髪を入れずに注意できたこともある。「好々爺（こうこうや）」を「スキスキジイ」、「米原（まいばら）」を「コメバラ」と読まれたときだ。

実は、成功例は今週にも生まれている。
「オミアゲをありがとう！」と頭をさげられた瞬間に、「渡したのは、おみやげ」と訂正。すると、「アじゃなくて、ヤなのね!?　だからかぁ〜、携帯メールで打ってても、『お土産』に変換されないから、おかしいなぁ〜と思っていたんだぁ〜」という嬉しい展開になった。

自信のない言いまわしは、パソコンや携帯電話のメールや検索画面に入力してみるというのも、この時代ならではの良い方法かもしれませんね!!

言葉にも外出着と普段着

好んでチャンネルを合わせている旅番組がある。面識のない俳優や元スポーツ選手たちが、ふたり1組になって、外国の貸しアパートで1週間くらい暮らしてみるという企画。観光地ではない街が選ばれるので、街並みにも人々の暮らしにも食べ物にも、目新しい情報があふれている。

「しくった！　しくったなぁ〜」

すこし前の放送で、私たちの年代が使わないような言葉も耳に飛び込んできた。

この番組のお約束は、別々に日本を出発したふたりが、電車やバスを乗りついで、貸しアパートで合流するところから始まるのだが、その回の出演者は、バス路線を間違えて迷子になってしまい、ひとまわりも年上の、しかも、初対面の俳優を待たせていることで、パニックにおちいっていた。

この「しくった」という言い方は、私のまわりにいる若者のクチからも飛び出すので、「しくじった」を縮めたものであることは知っていたが、問題は、ようやくたどり着いたアパートで、年長者に向かっても、そのまま使ったことだ。

「出だしから、しくってしまって、スミマセン‼」

この「しくった」のほかにも、ちょっとだけ音を縮めたカジュアルな表現は、さまざまに存在する。「むずい」、「めんどい」、「ちがくて」などなど。

「私たち双子だから、顔はそっくりなんだけど、じつは、性格がちがくて……」

初めて「ちがくて」を聞いたときも、「違っていて」を縮めたとすれば、「ってい」を「く」にして稼いだ時間は1秒もない！　この1秒の短縮で、友達との距離は縮むのだろうか？ひょっとしたら、元々の「違っていて」を知らないのだろうか？　そんなことを考えていたら、「ちがくて」以降の話はまったく耳に入ってこなかった。

友達や家族との会話は、それが便利ならば、短く縮めた言葉を使い、そのほうが輪を乱さないのならば、略語を多用して、大いに楽しんでほしい。シーンが変わって、気を使わなければいけない席に進み出たのならば、本来の表現を用いて、オンとオフの切り替えが〝言葉〟でもできることを印象づける。

たとえば、普段、「なにげに」を連発している若者が、改まった場面で「何気なく」と変えることができるだけで、株が上がろうというものです。

読めるけれど書けない漢字

ここ10年くらいのあいだに、〝読めるけれど書けない漢字〟が爆発的に増えている。ほんの数日前も、「第」と書きたいのに、直しても直しても「弟」になってしまい、呆然としたばかりです。

この原稿は、メールに添付して新聞社に送るのだが、パソコンで清書する前は、ノートに手書きしている。その日も、書き終えたページに「第193回」と目印をつけたつもりだったのだが、違和感を覚えて見直すと「弟193回」！　書き直しても、また「弟」‼　あきらめて辞書を引くと「竹かんむり」。正しく書いたあとでも、字は頭でっかちでバランスの悪いものだった。

連絡手段は、パソコンや携帯電話のメールが90％以上を占めている。ときどき、直筆でつづるハガキや手紙、それから、バースデーカードの類いには、似て非なる漢字を書いてしまい、結局、パソコンや携帯電話で調べるというありさま。書きそんじた紙は、多くなるばかりだ。

それでもまだ、自分の目が間違いに気づけば御の字。残念ながら、人目にさらされてしまうこともある。飲食店街で、こんな手書きの貼り紙を、3枚も発見したことがある。

「短気アルバイト募集」

「シェフのおすすめ　冷静パスタ」

冷たいわけではなく、予期せぬトラブルがあったけれど、シェフが冷静な判断のもとで作ったにちがいない。

それから、「寒い夜には　熱々のおでんを」と書いたつもりなのだろうが、「寒」の「宀」（うかんむり）の下が「基」になっていて、これは、読めないうえに、漢字にもなっていない。

最近では、綺麗な女優さんの思い出話が印象に残っている。その昔、好意を寄せていた男性から、手紙をもらったのだが、すべての「肌」が「股」と書かれていたのだ。たとえば、「いま、海辺で日光浴！　たっぷりのオイルを塗って肌を焼いています。帰国後のデートでは、小麦色の肌でお目にかかります」というような文章だとして、ふたつの「肌」が「股」になっているのを想像すると赤面ものだ。

ここまでくれば、もう、読めるけれど書けない漢字が多いことを前提として、自分の目が抱く違和感を大切にする。できれば、音読してから、世に送り出す。声に出してみると、目と耳の2重チェックができる。案外、間違い探しに役立ちます。

漢字に「ひらがな」をサンド

「ドライバーのみなさん、文化放送の交通情報です」
30年以上たずさわっていたラジオの生放送で、1時間に1回は口にしていたお馴染みのフレーズ。私はこのなかに、ささやかな工夫をひとつ織り込んでいたのだが、最近になって、当時のスタッフとの四方山話のなかで披露したところ、「まったく気がついていませんでした」と口々に言われ、半分は落胆したが、半分は得意げな気分になった。誰にも気づかれずによかったという安心感。小さな工夫とはいえ、聴いている人の耳がそこに引っ掛かるようでは、生放送の流れが止まってしまうからだ。

それは、私のなかの女性の部分が心掛けていた〝柔らかい表現〟にかかわることで、漢字ばかり8文字のあいだに「ひらがな」をはさむということだった。

番組の進行表には、文化放送交通情報というように記されている。そのまま読んでもいいのだが、漢字を8個も口にすると、私の声が、その画数の分だけ角ばったものになるような気がする。意味を変えないところに「の」を入れることで丸みが加わると信じて、毎日くり返し使っていたのです。

漢字に「ひらがな」をサンドする試みは、番組のあちらこちらでくり広げられていた。

事故などがあって運転を見合わせていた電車が動き始めると、「中央線、運転再開です」という原稿が渡される。これも、「中央線が、運転を再開しました」というように「が」や「を」をはさんだほうが、話し言葉としてふさわしいのではないかと思って続けていた。

提供スポンサーを紹介するシーンでも、仮に、山梨日日新聞社が人生相談のコーナーを提供しているとすると、進行表にはこのように記入される。

「山梨日日新聞社提供『人生相談』」

漢字だらけの13文字は、見ても聞いても堅い印象に変わりはない。「山梨日日新聞社の提供でお送りする人生相談にまいりましょう」

「ひらがな」のチカラを借りたほうが耳に馴染みやすいと思うのですが、いかがでしょうか?

「硬」の表現、「柔」の言い方

通信販売のテレビ番組で、何げなくクチにした私の表現が、スタッフのあいだで「新鮮だ」と話題になったことがあります。

それは、言ったほうが忘れるくらいの短いひとことで、「ふたたびの」！　数日前に紹介した寝具に注文が殺到したので、「大好評にお応えして、再登場」と台本にあったのだが、いつものクセで「ふたたびの登場です」とカメラに向かって話しかけていた。

言葉だけが頼りのラジオで30年を超えて働いていた私は、漢字が三つ以上並んでいる単語を、割れるものなら二つに割るという工夫をくり返している。

たとえば、「全商品」や「全種類」は、「すべての商品」「全部の種類」とすることで、聞き取りやすくなるのではないかと信じている。

台本に「新感触」と書いてあれば、「こんなに柔らかい毛布には、お目にかかったことがありません。まったく新しい感触ですね」と、自分の感想も添えながら、漢字三つを回避する。

いきなり「シンカンショク」と言われて、頭のなかに「新感触」が浮かべばラッキーだが、「ん？新刊？ショク？」「新・間食⁉」などというように迷ってしまったら、そこから先の話にはつきあってもらえない。

「新しい感触」と表現することで、間違いのないイメージを相手に届ける。さらに、「ひらがな」をはさむことで、柔らかい印象を残すこともできるわけです。

漢字とひらがなを、どのくらいの割合で使うかによって、硬い表現になったり、柔らかい言い方になったりするのは、私たちの身近なところに数多く存在している。

常々、「恐縮です」を連発している人が、「恐れ入ります」を取り入れてみたら、ずいぶんと穏やかな雰囲気に変わる。

会議の進行などには「硬」を、なごやかな宴会には「柔」のフレーズをと使い分けている方も多いことでしょう。

「開会」に対しては、「始める」「スタート」。「閉会」には、「お開き」。昼間の営業トークの「他社との相違について」という言い方も、夜の友人との飲み会では、「ほかのメーカーと、どこがどう違うのか」。

表現の工夫は、案外、楽しいものです。

相手の耳を困らせない

かつて、四谷にあった放送局に勤務していたころ、「警視庁までお願いします」と言いながらタクシーに乗り込んだのに、錦糸町に連れて行かれそうになったことがある。新宿通りを半蔵門で右に曲がると警視庁の建物が見えてくるが、その半蔵門を迷うことなく左に曲がったので驚いた。

「警視庁に行くには、半蔵門を右折ではないですか?」

焦る私に、のんびりした運転手さんの答え。

「おネエさん、これから錦糸町にご出勤じゃないのぅ!?」

確かに、「ケイシチョウ」と「キンシチョウ」、早口で言われたら、聞き間違えるくらい似ている。さらに、夕方だったことや、派手な色合いの洋服だったことで、錦糸町のネオン街で働くホステスさんだと思い込まれてしまったようだ。

何度も頭をさげる運転手さん以上に、相手の耳が混乱するような表現をした自分にこそ非はあると大きな反省をした。

その反省は、ちょうど同じ時期に起きた「セリーグ」が「セリーヌ」に聞こえてハガキ

足腰がきたえられて
俳優業に役立ちますよ
新聞屋
新分野
izumi

殺到で、さらに大きさを増した。

「今日の番組からのプレゼントは、セリーグのバッグです。おハガキでのご応募、お待ちしています」

生放送のラジオで告知してから数日後、ブランド品のセリーヌのバッグを希望するハガキが山のように届いて、デスクのひとつを使えなくしてしまったほどだった。

似たようなことは重ねて起こるもので、3度目の正直ならぬ3度目の失敗は、番組の共演者の耳に、「新分野」が「新聞屋」さんと聞こえてしまったことだ。

「今日のゲストは、俳優業のかたわら、新分野にも進出した方です」

「えっ、新聞配達を始めたんですかぁ⁉」

「警視庁」や「セリーグ」のように、ひとまとまりの呼称には、「桜田門にある警視庁までお願いします」、「プロ野球セリーグのバッグをプレゼントします」。「新分野」のように分解できるものは、「新たな分野に進出した方です」。相手の耳を困らせないように、ひとことつけ加えたり、二つに割ったりするようになったのは、それからです。

調和のつぼみ

あいさつや返事に添えた情報が、会話の〝糸口〟になる

一番初めの〝音〟が肝心！

電話に出た瞬間、「もしもし」を言わない人が増えています。

携帯電話での通話が多くなって、電話に出る前から相手が分かるため、いきなりの「ナニ!?」、いきなりの「ドコ?!」。街角や駅のホームで、突然、声をかけられたのかとカン違いして振り返ってしまうことがある。

同時に、〝心配〟も浮かんでくる。相手が友人や家族であれば、いきなりの本題でも許されるのだろうが、取引先の会社からの電話だったら、どんな第一声にするのだろうか？ 就職活動中の学生で、相手が第1志望の企業の人事部だったら、なんという言葉を発するのだろうか？

「もしもし」を使う習慣がないのなら、こちらの名前を名乗るという出方もある。しかし、連絡先に登録していない相手だと、どうしても様子を探るような声になりがち。さらに、名前ではなく、「ハイ」と小さくつぶやいて、相手の次の言葉を待つような出方も考えられる。

電話での第一声は、その声を出している人の印象やイメージを決定する大切な瞬間だ。

様子をうかがうような声に、良い評価はもたらされない。好感度があがる見込みも低いのではないでしょうか？

勤務先などで電話を受けるときも、「もしもし」がなくて困ったことが起こる。受話器を耳にあてた途端、早口で「＃＄％＆です」と名乗られ、相手の名前を聞き取れないことがあります。

実際に会っているときにも起こりえる話だが、目の前に相手がいれば、首からさげた社員証や、その人に同僚が話しかける瞬間に、名前を探る方法は残っているが、電話でのチャンスは、冒頭の1回のみ！（だれ？だれなの？）と戸惑いながらでは、伝言も用件も課題も、頭に入ってきません。

電話をかけるときは、相手を困らせないように、一番初めの発言を、明快に、相手の耳に届ける工夫をしましょう！

たとえば、名前の一番初めの音、私なら「オ」をクリアに発音する。

枕ことばのように、社名や仕事内容を添える。「〇〇をしておりますオマタと申します」のように。

私は、昔ながらの「もしもし」を使うが、「おはようございます」「こんにちは、オマタです」というように〝あいさつ〟をアタマにつけても、名前が聞き取りやすくなります。

先に名乗ることの大切さ

久しぶりに顔を合わせた人の前で、ひとつ、心掛けていることがあります。

それは、自分の名前を相手に伝えること！「やだぁ〜、知ってるわよ」「それほど、もの忘れが進んでいるわけではない」といった反応があれば、それはそれで御の字だが、ときどきは相手を救っているように感じることがある。

「お目にかかるの、お久しぶりですね」と話しかけた瞬間、かすかな動揺の色を、相手の目に感じることがある。

すかさず、「オマタマサコです」とつけ加える。相手に応じて、かつて出演していた番組名を出すこともあれば、共通の知人の名前をクチにすることもある。

一瞬にして、目の揺らぎが消える。「オマタさんと仕事してたころが、一番楽しかったなぁ〜」などと、安堵した顔で笑いかけられると、やはり、みずから名乗るのは、良い習慣だと確信する。

はっきりと顔は覚えていても、名前が出てこない。ノドから出る寸前ならば、なんとか会話をつなげるが、ノドの奥を探しても見つからないときの動揺を隠すのはむずかしい。

さらに、いつもの環境と異なるだけで、名前どころか顔かたちにまで、自信が持てなくなってしまうこともある。

美容師さんやお寿司屋のご主人など、いつも、その人が立っている場所も込みで、相手を認識している場合がある。そうすると、背景に鏡がない、手前にネタが並んでいないだけで、記憶が混乱。「神楽坂の鮨〇〇です」と店名を耳にした瞬間、すべての景色が鮮明になって救われたことがある。

芸能人を、テレビやステージで見かける特徴のある髪形やアイメークで認識している場合もある。そうすると、姿が映らないラジオ番組に、ニット帽を目深にかぶり、素顔のままで現れると、それは、私にとっては別人。何人ものアイドル歌手を、先に到着した所属事務所のスタッフだと思い込んでしまったことがある。

「お待ちのあいだ、ここにお座りになりませんか?」と手近な椅子を勧め、楽屋に案内しなかったのだが、そのなかには、一大ブームを巻き起こした女性歌手もいて、いま思い出しても、心臓の波形が乱れます。

名前に添える上手な情報

朝のあいさつに、もうひとことを添える。

「おはようございます！」だけでは当たり前の声かけなので、「今夜は雪になりそうね」「暖かそうなコートですね」というように、季節や相手の変化に関する情報を加えることで、なんでもない数秒間を印象的なものにすることができる。

相手の発言に対する返事にも、もうひとことを添える。

「はい」だけでは了解したことまでしか分からないので、「さっそく実行します」「明日までお待ちいただけますか？」というように、そのあとの動きを伝えることで、相手に安心してもらえる受け答えになる。

さらに、自己の名前にも、もうひとことを添える。

「オマタマサコです」だけでは情報がすくないので、会話の糸口を作りにくい。そこに、「アナウンサーのくせに無口です」とつけ加えると、アナウンサーがキーワードになる会話や、「無口なんてウソでしょ‼」といった反応など、いくつかの話のスタート地点が浮かびあがってくる。

人間の耳というのは、イレギュラーな発言にとても敏感なんです。

お決まりのフレーズは当たり前のこととして相手の耳の横を通り抜けてしまうが、そのあとを追いかけるひとことがあると、それは特別なことだし、その人だけへの語りかけとなるので、しっかりと相手の耳の奥に飛び込むことができる。

名前を名乗るときも、特徴があるのなら名前の読み方、有名なら出身地の名物、ギャップがあるのなら見かけと違う特技など、話題になりそうな情報は身近なところから探し出すことができる。

「珍しい名字だといわれますが、ふるさと山梨ではクラスに10人はいました」
「甲州ワインと鳥もつ煮で、カラダの大半ができています」
「こんなに細い腕ですが、柔道は黒帯です。チカラ仕事もお任せください」
もう相手が目の前に立っている1秒も待てないような状況では、その場にふさわしい情報が浮かんでこないかもしれない。あらかじめ、自分の名前に添える「ひとこと」を何パターンか用意しておくことをおすすめします。

名刺の中は、話題の宝庫

「オマタさんは、名刺をじっくりご覧になるんですね」

名刺交換をしたばかりの相手から言われて、内心かなり焦ったのは数日前のこと。

確かに私は、名刺入れの上に、初めて見る名刺を乗せたら、その名刺の表も裏も読むようにしている。名刺には、さまざまな情報があふれていることが多いので、会話の糸口を見つけるための格好の材料になるからだ。

実は、このときの名刺は大きな特徴がなく、名前の読み方も分かりやすいし、会社の所在地にも、仕事の内容にも共通の話が浮かばないし、どんなふうに口火を切ったらいいのかの思案中。だから、「名刺をじっくりご覧になるんですね」の指摘に大慌て！　洋服の下で、ジトッと冷や汗をかいてしまった。

こういうときに、欲ばりな性格が災いする。気の利いたことを言いたい、相手が笑うようなことを言いたいと思いながら話題を探していたから時間がかかってしまったのだ。

名前の読み方を、確認がてら声に出して読んでみるだけでもいい。住所から、最寄りの駅を言い当ててみるだけでもいい。沈黙が長いという印象を持たれないこと、沈黙による

空気の乱れを生み出さないことが大切だとキモに銘じたところだ。
たとえば、幸子さん。ユキコさん、サチコさん、ひょっとしたら、コウコさん？　出合い頭に聞いておけば、記憶にインプットしやすい。
それから、東海林さん！　私たちの世代だと、直立不動で歌う東海林太郎の印象が強いので、「ショウジさんですね」と自信を持って口にすると、「トウカイリンです」と返されたことがある。エッと目を丸くした私の表情を楽しむように、「ボクが生まれた山形では、トウカイリンが主流なんですよ。オマタさんも珍しい名字ですよね、ご出身はどちらなんですか？」と、いきなり、相手の口が滑らかになった。
住所からも、話題は生まれる。会社名を見て思い浮かんだ代表的な製品からも、話題は広がる。名刺は、話の糸口を探している人の味方です。

回れ！回れ！話の〝お鉢〟

〝お鉢〟は、悪いもののように扱われることが多い。自治会や保護者会の「役員のお鉢が回って来ちゃったよぉ～」といったように、できれば避けて通りたいときに使われる。

もともとは、炊きあげたごはんを移す「おひつ」からきた言葉。大人数で食事をしていると、なかなか回ってこない「おひつ」から、ようやく、ごはんを茶わんによそうときの嬉しさをあらわしていたのだが、いつの間にか、厄介なことに巻き込まれる、面倒な役回りがめぐってきたときに使われるようになってしまった。

今回のテーマのお鉢は、話すことが得意ではない人、ひかえめでおとなしい性格の人にとっては迷惑なものかもしれない。しかし、会議でも食事会でも、話の輪に加わっていない人がいると、（こちらが提案していることに反対なのだろうか？）（興味のない話がつづくので帰りたいと思っているのだろうか？）というように沈黙に意味を感じて、まわりが気を使うということを汲みとってほしいのです。

先日も、新規の仕事先と講演会の打ち合わせをしたのだが、2人並んだ担当者のうちのひとりが、ひとことも言葉を発しない。名刺を交換しながら「よろしくお願いします」と言ったきり、そのあとは、無言。沈黙。発言ゼロ。もうひとりの担当者と私が、講演内容や会場の設営などを話しあうなかで、身じろぎもせずに座っている。

（なぜ、この人は、話の輪に入ってこないのだろうか？）

メモを取っているわけでもなく、仕事を分担しているようには見えない。名刺の肩書も同じで、上下関係ゆえに黙っているわけでもなさそうだ。思い切って一度、「○○さんは、どう思われますか？」と水を向けてみたのだが、かすかにほほ笑みを浮かべただけで、もうひとりの担当者が、何事もなかったかのように話を継いでいってしまった。

話のお鉢を回したのに、受け取ってもらえなかった私は疲れてしまい、ひとりで話しつづける担当者へも不満を持ち始める。（たとえば、異動してきたばかりであるとか、発言しない人が同席する理由を伝えるべきではないか）。

話のお鉢は回すもの！　会話には、その場にいる全員が参加したほうがいいと思っている私は、気を使いすぎているのでしょうか？

会話は大縄跳びに似ている

香港で見つけた珍しいもの、おいしいもの、心惹かれるものを、航空会社のホームページに紹介していた3年間がある。気がつけば、香港に住む日本人や、仕事でひんぱんに香港を往復する知りあいが増えていた。それと同時に、香港のあれこれを語りあいながら、お酒を飲む機会も増え、その夜も、海沿いのオープンデッキに集まった数人で、まずは、生ビールで乾杯した。

「そういえば、ジャッキーの出てるビールのCM、話題になってるよね」「メイキング映像に、ツジムラさん映ってるの知ってる？」「ユーチューブで見たわよ！」

みんなの共通の友人で、香港で活躍するコーディネーターの名前が飛び交いはじめて、ひとつ気がついたことがあった。ひとりだけ、彼を知らない友人が同席しているのだ。

「ジャッキー・チェンの通訳をしている日本人男性で、とても親切な人なのよ」

盛りあがりつつある会話を止めない程度の短さで、ツジムラさんを紹介する。

後日、会話に入りにくい人を作らないために、短い紹介をはさむのは良い習慣だとほめてもらったのだが、実は、かつて、自分がされて嬉しかったことを実行しているのです。

もう20年も昔の話になるが、文化放送の社員アナウンサーだった私がフリーランスになり、ニッポン放送という別の放送局にも出演が決まったときのこと。1回目の打ち合わせに出席してみれば、見渡すかぎりの知らない顔！　初めて会う人ばかりだった。

「オマタさん以外の人たちは、ここで長いこと働いていますから、ついオマタさんの知らない昔話をしてしまうときがあるかもしれません。そういうときは、かならずオマタさんに、ひとこと説明すること」

　これは、プロデューサーの冒頭のあいさつ。わざわざの注意事項にされて恥ずかしくもあったが、それ以上に、今日から一緒のチームだという先方の熱意が伝わってきて感激！　それ以来、そのときの話題から置き去りになっている人がいないかどうか、ときどきチェックするようになったのです。

　数人での会話は、大縄跳びに似ている。一緒に跳べない人が出ないように、縄が1回転する短い時間のあいだに説明を終える。縄をからませずに、全員で何度も跳んでいるうちに生まれる高揚感が、おしゃべりの醍醐味ですもの。

出会い頭にぶつかったら

「このまえね」と話を切り出した瞬間に、目の前の相手、もしくは、グループのなかの誰かが「じつはね」としゃべりはじめ、言葉と言葉が出会い頭にぶつかってしまうことがある。こんなとき、あなたは、どうしていますか？

私のまわりには、「常に、相手にゆずる」という知人もいれば、「ゆずりあってる時間がもったいないから、先にしゃべらせてもらうわ」という強気の同級生もいる。私は、人生の先輩には話題の道をゆずり、あきらかに後輩だったら、申し訳ないというしぐさをしながら先に話させてもらってきた。

年を重ねるにつれ、相手の話を聞いているうちに、自分が披露したかったエピソードを忘れてしまうというのも理由のひとつだ。忘れるくらいだから、たいした内容ではなかったに違いないとも思うが、発車寸前だった言葉がノドの奥で追突してグシャッとからまる違和感は、たまらなく気持ち悪いものです。

このようなとき、先に話させてもらった人が忘れてはいけないことがある。それは、すこし前に引っ込めてもらった「相手の話にバトンを渡す」こと。当たり前のことのように思えるが、案外、ないがしろにされがちで、話の順番がまわってこない人は、自分の存在を忘れられているような不安におちいる。自分が尊重されていないような不満を抱えることとなる。

同じような場面は、多くの人が集まる会場、会社のロビーや廊下などの立ち話でも、たびたび起こる。

話し込んでいるふたりのあいだに、まったく関係ない話をしながら割って入ってくる人がいる。そのようなときは、割り込んできた第三者の質問なり用件なりに簡潔に答え、かならず、中断させられてしまった話題に戻ること！　これを怠ると、話の途中で立ち止まっている人の気分が悪くなる。自分たちの話を思いっきり展開できずに放置されていると、不完全燃焼で苛立ってしまうことすらあります。

いま、目の前で話をしている相手から、その人の「話題」と、話題の提供者だという「立場」を奪ってはいけない。このことを、肝に銘じておきましょう！

スピーチを1分にする方法

大学の講義や企業での研修で、時間を意識したスピーチを課題にして、実習を行うことが多い。

「1分以内での自己紹介をお願いします」

「黒板に貼り出した写真について、3分くらいお話をしてください」

頭のなかに浮かんだことを、すべて言葉にしていいという状況は、キャンパスでもビジネスシーンでも滅多にあるものではない。

たいがいは、その場の雰囲気に応じて、適切な時間を感じとる。たとえば、初対面の人が大勢いるような会議なら、（名前の読み方を印象づけて、30秒で終えよう）と心のうちで決めたり、進行役の人から、「おひとり、30秒から1分でまとめてください」と指示されたりして、迫りくる制限時間と葛藤する。

そこで、大幅に時間をオーバーして話し続けていたら、どんなことが待ち受けているのだろうか？（まだ終わらないのかぁ～）（いつまで、しゃべり続ける気だ！）といった声にはしないタメ息がもれてくる。

聞き手が想像したり指定したりした時間を超えた瞬間、相手の頭のなかは、「話が長い」！　これ1点のみでいっぱいになり、届けたい内容はすこしも耳に入らなくなる。

さらに、その場の空気が読めない、相手の心情を察することができない、自分の都合で頭がいっぱい、自分勝手なワガママ人間というように、刻々と、評価が下がっていく。

一度だけでいいので、自分が1分間だと思えるスピーチをしてみて、その正確な時間を、携帯電話のストップウオッチ機能やキッチンタイマーで計ってみませんか？

丁寧な性格の人ほど、説明が多くてタイムオーバー。ひとつの組織で長いあいだ高い立場にいる人ほど、聞き手がいることを忘れてタイムオーバーする。余分な枝を払ってストーリーをシンプルにする。5分も10分もしゃべっておきながら「ひとこと申しあげた」などと加えない工夫も必要だ。

それと同時に、視覚と連動させて、新聞の記事などを音読し、1分間で声にかえられる文章の面積を把握しておくことも役に立つ。

この2ページを声に出して読んでみると、何分何秒かかりますか？　私は、2分20秒でした。

残り時間を「面」でとらえる

「アナ尻」という言葉がある。おそらく、放送局でしか使わない業界用語で、アナウンスメントのお尻！　番組のエンディングや、時報前のトークを終了させる時間だ。

進行表には、たとえば、「アナ尻　3時57分22秒」というように秒単位で書かれている。23秒になると、話が途中であろうがなかろうが、強制的にコマーシャルに切り替わる。

議論をたたかわせている途中で放送が終わって、そこに、問題提起や白熱した空気を残すような演出もあるが、多くの番組は、「それでは、また明日！」「良い一日を！」などと言い終えた瞬間が、57分22秒であるように努力している。

「秒単位でしゃべるなんて、考えただけで、胃に穴があきそうです」

こんなふうにホメてくださる方がいるが、じつは、アナウンサーになって数か月もすると身につく技術だ。一定の時間に自分が発音できる文字数が把握でき、さらに、スピードをアップしたりダウンしたり、形容詞を加えたり削ったり、微調整をしながら「アナ尻」にピタッと着地を決められるようになる。

ただ時間をうめるだけのアナウンスと、残り何秒かに自分らしいメッセージを込めることの違いは大きいという先々の課題はあるが、ある程度の場数を踏めば、秒単位で話し終えることはできるようになるのです。

こんなふうに心配してくださる方もいる。

「時計を見ていると、数字に追いかけられているようで、心臓がバクバクしませんか？」

新人アナウンサーのころは、残り時間が少なくなると、なにを言っているのか分からないくらいの早口になってしまったり、あせる気持ちが次から次へとトチリを呼び込んでしまったり、冷や汗と失敗の毎日だった。

落ち着いて話せるようになったのは、「時計を、数字ではなく、〝面〟でとらえる」ことを覚えてから！　スタジオには、丸い文字盤の時計が置かれているのだが、「アナ尻」と秒針のあいだにできる三角形に注目し、その面積が減っていくのを見ながら話すと、秒針に追い立てられるアセリから逃れることができるのです。

15分間、雑談するチカラ

さまざまな企業で「話し方講座」の講師をつとめるようになって十数年が経過するが、このまえ、ある会社の人材育成部から珍しい注文を受けた。

それは、「雑談」を教えてほしいというものだった。

「あいさつは、私たち年配のものからも率先して励行し、活発に交わしあえるようになっています」

「さらに、新しい商品の説明は、詳しいマニュアルを作り、何度も練習をくり返し、頭にたたき込んでから営業に出ています」

「しかし、それだけだと、15分くらいで話が尽きてしまうんです」

「会話が途切れてしまうと、気まずくなって帰ってきてしまうので、何度訪問しても、相手との距離が縮まらないんです」

「あと15分、取引先に残れるように、雑談を教えていただけますか?」

（お金を払って、雑談を教えてもらう時代になったのか）と、しばらく目を丸くして、無言で相手の顔を見つめてしまった。

長年の友人や趣味の仲間たちとは、これといったテーマがなくても2時間3時間と話がはずむが、それは、目標のあるビジネスシーンでの「雑談」とは一線を画す。その目標とは、「この人と、ひいては、この人のいる会社と、仕事をしてみたい」という気持ちを引き出すというものだ。

さっそく、相手が興味を抱く「雑談」のために、おすすめの3項目を立ててみる。

ひとつめは、初めて会う人だから、相手のことは何も知らなくていいと思わずに情報を収集。初対面の場面で披露できる話題を用意する。たとえば、「御社が開発された商品を、学生時代から、ずっと愛用しています」など。

次に、以前会ったときの話題を覚えておく。「このまえお話しされていた本を読んでみました。たいへん参考になりました」。

そして、もうひとつは、相手の話をよく聞き、その中から、次の展開や質問を考える。このとき、相手の話を聞きながら、次の質問をどうしようと悩むより、「いまのようなお話は、初めて聞きました」といった素直な感想が功を奏する場合もあります。

そんなに期待させないで

「ねぇ聞いてよぉ〜、おもしろい話があるの」「きのうね、お腹がよじれるほど笑ったんだぁ〜」といった言葉から始まる話が、抱腹絶倒だったためしがない。

「涙があふれてきて止まらないシーンが3カ所あるの」「目にワイパーがほしいくらい、私も泣いたわ」とすすめられて入った映画館では、いつ涙腺が決壊するんだろうと期待しているうちに「ＥＮＤ」を迎えてしまう。

これから、どのような話をするのか、〝見出し〟を掲げながら話題を展開するのは、いい習慣なのだが、「事実」と「個人の感想」をゴチャ混ぜにすると失敗することがあります。

愉快このうえない話題を提供しているのに、相手の反応が思わしくない。クスリとも笑ってくれない。それどころか、困ったように視線をさげながら、作り笑いを浮かべられたことはありませんか？

これは、みずからの話の切り出し方で、相手の期待値を上げてしまっているときに起こります。

「お腹を抱えて笑う」と、笑いのハードルを上げて話し始めると、相手は、〈いつ、笑いの虫が、お腹に飛び込んでくるんだろう）と身構えて聞いている。お腹を抱える準備をしている人は、そこそこのレベルでは笑わない。そうこうしているうちに話が終わり、「ね！笑っちゃうでしょ、この話⁉」と、おもしろさの押しつけをする羽目になる。「う……うん」と、相手をさらに困らせる。

「おもしろい」という自分の感想ではなく、「このまえの土曜日に、ぶどう狩りに行ったのね」「きのう、○○さんに会ったんだけど」というように、事実を〝見出し〟に掲げると、なにを話題にしているのかが分かりやすいうえに、笑いなり感激なりのハードルを高くすることなくエピソードを展開できる。

突然おとずれる笑いのツボに、聞き手はハマる。不意を突かれる感動の展開に、心を動かされ、涙が出口に向かう。

お気に入りのレストランを紹介されるときも、同じようなことが起こる。「もう、ほかの店のカレーは、私のクチが拒否する」などと大絶賛されてから食べにいくと、期待が膨らみすぎて「それほどでも……」と首をかしげてしまう。「3日間も煮込んだルー」といった情報だけを渡してくれれば、その先は、それぞれの味蕾が、良いところを探しながら食事を楽しむというものです。

「ですかね?」という質問

「ですかね?」で終わる質問が、ひそかに蔓延している。

この夏、レストラン、病院、出版社と、立て続けに「ですかね?」で質問され、それをクチにする人が増えていることを確信した。

「以前にも、ご来店いただきましたかね?」

「はい、何度か」

「それでは、当店のシステムは、お分かりですかね?」

ここは、前菜とデザートが食べ放題なことで人気を集めている。「はい、知ってます」と笑顔で返事をしたものの、頭のなかでは、(なんかヘン! ちょっとだけヘン!)と言葉遣いに敏感な部分が騒ぎだす。祖父母の話し方と似ていることを思い出し、(日本昔ばなしのナレーションみたい)と珍しいものをおもしろがる気分も湧きあがってくる。

通院している病院でも、医者から「傷あとにテープを貼っているところは、かぶれて痒いですかね?」と確認される。調剤薬局でも、「お薬手帳を、お持ちですかね?」と問われ、疑問形なのに「か?」で止まらない、どうして「ね」がつくのか、次第に違和感がふくらんできた。

ごくごく最近は、出版社での打ち合わせ。すべての質問が「ですかね？」で終わるのが気になって、会話に集中できない。

「メールでいただいた修正点を反映したものですが、間違いはないですかね？」

「小見出しは、変えたほうがいいですかね？」

「イラストは、この位置でいいですかね？」

良いほうに取れば、柔らかい物腰で、柔軟な対応をしているような印象を受ける。私の反応や出方によっては、微調整に応じますという低姿勢とも取れる。

「ありませんか？」「いいですか？」には、ＹＥＳ ｏｒ ＮＯを迫る勢いがあるが、そこに「ね」が加わると、話し合いの余地が残っているような、折衷案を探れるような雰囲気をかもし出す。

しかし、イジワルな見方をすれば、自分の見解は示さず、なんの決定もせず、「アナタに判断を任せます。責任も、アナタのほうにあります」という逃げ足の速さを感じる。

そしてなによりも、そうとう高齢な人の口調に聞こえる。私の耳の奥には、「マサコは、ワシのことが好きかね？」と、くり返したずねた祖父の声がよみがえってきました。

親密になれない言葉選び

「何年も仕事をしてる仲間なのに、いつまで経っても堅苦しいね、キミは⁉」と言われ、悩んでいる友人がいます。

「だって、大人になってからのおつきあいは、敬語から始まるじゃない？　いつ、どうやって、くだけたらいいのか、分からなくて」

確かに、その通り！　「オマタさま、よろしくお願いいたします」と初対面の席で頭をさげていた人から、次に会ったときに「オマちゃん、よろしくね」と言われ、（フランクになるのが早すぎる）と面喰らったこともあった。

相手との関係性と、言葉遣いを一致させる。今日から一段階フランクになりましょうという提案があるわけではないので、見極めは難しい。（なかなか気を許さない性格だ）と不満に思っていたのに、不用意なときに一歩踏み込まれると、（土足でウチに入られたみたいで抵抗がある）（友達じゃないぞぉ〜）といったマイナスの評価につながることもある。

じつは、いまの話を聞いている途中から、私の頭のなかには、ひとりの元アナウンサーの顔が浮かんでいた。

放送局は違えども同期入社ゆえに、イベントの司会でコンビを組んだり、雑誌で対談したり、この40年間に数十回は会っているのだが、会うたびに初対面のような雰囲気になる女性だ。礼儀正しい立ち居振る舞い、体形も服装も折り目正しい彼女とは、舞台でも楽屋でも、緻密な進行と話題の豊富さで、おおいに話は弾むのだが、それ以上、距離がちぢまらない。電話番号やメールアドレスを交換することもなく、今日に至っている。親密になることにやや強引な私にしては、珍しいことである。

丁寧すぎる言葉遣いがネックになっている。いまさらながらだが、そこに思いが至り、腑に落ちた。

相手を呼ぶときは、かならず「さま」をつける。「さま」がつけば、そのあとの名詞も動詞も敬語になる。「オマタさま、お目にかかれて嬉しゅうございます」「オマタさまのご意見をお聞かせくださいませ」。文字にすると浮世離れしているが、彼女は、それをサラッと口にして、すこしの違和感も抱かせない。それでも、何度か会ううちに「さま」が「さん」になり、打ち明け話などをするうちに「マサコさん」になる様子がまったくない。変わることのない丁寧な話し方が、親密になることを阻んでいる壁のようだ。

言葉には、壁を取りのぞくチカラもあるが、壁を高くするチカラもあると再認識しました。

「語尾」が相手を遠ざける

私たちの発言は、話し終えるときのワンフレーズが決め手となり、相手がいだく印象やイメージを左右することがあります。

カジュアルな言葉をつなげて話していた若者が、最後のひとことを「ですます」で結ぶと、ていねいに話したいと思っていることが伝わり、そのまえの未熟な言葉遣いを大目にみようという気持ちが湧いてくる。

体操競技の「鉄棒」にたとえる人もいるくらいだが、途中の離れワザで落下しようが、難易度を下げようが、最後の大車輪のあとのムーンサルトを決めて、半歩たりとも動かない着地を決めると拍手喝采！　マットに吸いつくような着地が、全体的な印象を良いものに押しあげる。確かに、そういう効果はあるように感じています。

効能があるところには、かならずと言っていいくらい使用上の注意事項も存在する。

もう20年近く、ひとつの仕事を一緒にしている広告代理店の女性がいるのだが、句読点の「。」直前の言葉遣いがていねい過ぎて、いつまでたっても親しい雰囲気になれなくて困惑している。

ごびぐすり
様
○効能：会話がキマる
○用法：1日何回でも
使用上の注意
相手との関係性に
注意してご使用ください
年　月　日
izumi

「先方からスケジュールがあがってきたら、すぐに、お電話を差しあげる所存でございます」

電話口で、こんなふうに言われると、（今日も、よそよそしかったなぁ〜）と肩を落としてしまうのだ。途中までは、「すぐに電話しまぁ〜す」とつなげてもいいような言葉選びなのに、締めくくりの表現で、いつも冷たく突き放される。

話を終えるときに「語尾」をどうするかで、相手との距離をちぢめることもできるし、壁を作って遠ざけることもできるというわけです。

それが狙いなら止めるものではない。しかし、善かれと思って使っていた表現が、相手との関係性に合っていなかったら、（長いつきあいなのに、いつまで他人行儀なんだろう）と寂しい思いをさせているかもしれない。そのことに気がついてほしいのです。

ひんぱんにクチにする「よろしくお願いしま

す」にしても、「お願い申しあげます」「お願いいたします」から「お願いします」に変わる瞬間がある。やがて、「よろしくね」にしてもいい空気がただよう時が来る。常に気に掛けることは「関係性と言葉の一致」です。

関係性のつぼみ

声のトーンを合わせると、
調和の空気が生まれます

プレゼントを選びやすい人

さまざまな切り口で、人を2種類に分けることがある。「勝ち組・負け組」「甘党・辛党」など、数えあげたらキリがないが、私はそこに、「プレゼントを選びやすい人・選びにくい人」というテーマも成立するのではないかと思っている。

誕生日のプレゼントや旅行先からのおみやげで、好みの色合い、形、風合いのモノをもらったことがないと不満を持っている方、いらっしゃいませんか？

普段、私が身につけているものを見ていない。私の好き嫌いを把握していない。はたまた、モノ選びのセンスが悪いのではないかと、良くない結果を相手のせいにしがちだが、もともとの原因は、ジブン！　自分の情報を発信するチカラが不足しているか、方法にあやまりがあるのかもしれない。私は、反省材料としています。

それと同時に、まわりの人間が抱いている自分のイメージを知るチャンスでもある。

（へぇ～、私って花柄のスカーフが似合うと思われているんだぁ～、意外だわ）

（こんなにキラキラする口紅をつけて、だいじょうぶかしら？）

年齢によって顔映りのいいものも変わってくるので、似合わないと思い込んでいた色や形を思いきって使ってみると、案外そこに、新しい自分を発見するかもしれない。

さらに積極的な方法は、新しいことを始めてみること！ 生活習慣でも趣味でも、それにまつわるものを贈られることが多くなり、「プレゼントを選びやすい人」の仲間入りができる。「メタボ解消にウオーキングを始めた」「ヴァンフォーレ甲府のファンクラブに入会した」といった情報は、プレゼント選びの心強い味方になる。

プレゼントだよ
なぜ それを選んだの…
GIANTS
izumi

私も数年前から髪の毛を伸ばしていることで、シュシュ、バナナクリップ、夜会巻き用のピンなど、ショートヘアだったころには縁のなかった髪飾りが、ものすごい勢いで我が家に集合している。ロングヘアの先輩たちからビギナーへのプレゼントには、形よくまとめるコツや、使い方のバリエーションのレクチャーつき。大袈裟な言い方だけれど、人生の幅が広がったような、自分のなかに小部屋がひとつ増えたような楽しい気分です。

「事実」VS「個人の感想」

友人や同僚を、ほかの人に紹介する機会というのは、案外多いもの。そのときに選ぶ言葉、言いまわしによって、相手が過度に期待したり、反対に、苦手意識を持ったりしてしまうことがある。

この「先入観を植えつける」を避けるためには、相手にとって必要だと思われる情報を、客観的に伝える言葉を探す。言いたくて言いたくてウズウズしている自分自身の感想を、どのくらい加えるか、すべて取りのぞくのかは、そのときどきの判断だが、選んだ言葉次第では、初対面の前にマイナスの印象を持ってしまうこともあります。

「今日の午後、取引先を初めてお訪ねするのですが、あの会社の部長は、オマタさんと旧知の仲ですよね？」

「十数年来の仕事仲間よ。きっと、柔和な表情で名刺交換すると思うけど、資料を読み始めると豹変するの、重箱のスミをつつくのが大好物だから」

このような事前情報を耳にしたら、相手の笑顔も仮面にしか見えなくなる。資料を渡す手も小刻みに震えてしまいそうだ。そして、資料から目をあげて質問でもされそうになったら、恐ろしくて悲鳴をあげてしまうかもしれない。
「十数年来の仕事仲間」という事実だけなら、会話の第1ステップに使えるのに、それを、個人の感想がはばんでしまうこともあるわけです。

過去にコラボレーションした仕事の一覧や、「今年の創立記念日に、最優秀社員賞を受賞した人です」というような実際にあったことを伝えておけば、そこから先の性格についての難点は、それぞれの個性で対応すればいいし、Aさんにはそうであったかもしれないが、Bさんの身にはまったく火の粉が降りかからないということもあります。

プライベートでありがちな「私の友だち、ものすご〜くカワイイの、今度、紹介するね」といった場面でも、それぞれが思い描く「かわいい女性像」が異なるので、会ったときの反応の多くは（あんまり期待させるなよ）となってしまう。

「中学1年で知り合ってから、ずっと友だち」「高校では、チアダンス部のリーダー」という事実を伝えれば、そこから相手が類推する女性像はあっても、過度な期待やマイナスのイメージを抱く危険性は少なくなります。

私を、名前で呼んで！

学校の先生ばかり数人が集まった宴会で耳にした会話。「先生から、奥の席へどうぞ！」「いやいや、先生から！　お先にどうぞ」「こちらが、先生の水割りです」「先生、おかわりいかがですか？」。おたがいを「先生」と呼びあうので、名前がいっさい出てこないことに、私は違和感を抱いた。

この「先生」の連呼は、相手の名前を覚えなくて済むので、実に便利だと言う人もいる。その証拠に、初対面の先生を紹介してもらおうとしたら、木村やら田村やら村井やら、さまざまな名字が湧いて出て、最後には本人が、「オレは村田だぁ～！」と半分おどけた表情で、半分は不愉快そうに叫んで終わったことがある。

私も講演会や企業での研修で講師をつとめると、これがまた「先生」と呼ばれる。「オマタさんとか、マサコちゃんとか呼んでくださいんでくださいい」と訴えても無視されたあげく、「講演会ですから先生と呼ばせてください。習慣ですから！」と取り合ってもらえない。「名前を間違えたら大事なので、先生が楽なんですよ」と一笑にふされたこともある。

相手との関係性を高める第一歩は、その人を肩書ではなく、その人固有の名前で呼ぶことだといわれている。先生でも社長でも課長でも課長補佐でもなく、名前を声にして相手の耳に届けることで、私がおつきあいしたいのは名刺ではなく、あなた自身だと伝えることができるのです。

そこで必要になるのが、記憶のチカラ！　思い出は記憶の奥におさまりやすいが、新しい情報は記憶として定着しにくいもの。初めて聞いた名前や名刺交換したばかりの名前を、顔や髪形などと合わせて脳みそにすり込むために、ちょっとした工夫をする。

私が得意にしているのは、交換した名刺をすぐにしまわず、しばしの名前談議！　名字のルーツや珍しい読み方、そして、漢字に込めた親の願いなど、小さい紙のなかには話題が満載だ。さらに、そのあとの会話にも、後日の手紙やメールにも名前を織り込んでいく。口から出したものを耳が聞き、指を使って表現したものを目が確認。多岐にわたる刺激を送ることで、ようやく脳みそに新しい記憶のフォルダができあがるのだ。

女性のなかには、結婚してから誰にもファーストネームを呼ばれなくなったという人も多い。仮に、名字が渡辺で、子供の名前が太郎だとすると、ワタナベの奥さん、ナベちゃんとこの嫁さん、タロくんママ！　相手のまわりに存在するもので呼ぶのではなく、たまには、その人だけを指し示す名前で話しかけてみてはいかがでしょうか？

小さい声の弱点と効き目

いま、大学で受け持っているクラスに、声の小さい女子学生がいます。「アナタの声はキンキンしていて頭が痛くなる」と幼いころから母親に言われていて、声のボリュームをおさえることが常態化してしまったと聞いて同情を禁じえなかった。

子どもの声はキー（音程）が高い。母親に振り向いてほしいとき、心弾むことを報告したいときは、また一段と高くなる。おそらく、「キンキン」と言われた声は、ボリュームの問題ではなく、声のトーンにかかわることではなかったかと思う。

声のトーン（調子）は、声が高いのか低いのか、強いのか弱いのか、明るいのか暗いのか、温かいのか冷たいのか、早口なのか、おっとりした語り口なのか、さまざまな要素で作りあげられている。

もちろん、声を大きくすると、連動してトーンも高く強くなりがちだが、そこを、勢いにまかせずにコントロールできれば、声量はあるのに柔らかい話し方や、大きくても優しい声などを生みだすことができる。

まずは、距離に合わせて、その場にふさわしい声を出せるようにレッスンする。当たり前のことだが、相手の耳の位置まで声が到達しないことには、話の内容が伝わらない。自分の気持ちや意見を届けられないからだ。

下宿先では、ぬいぐるみに囲まれて暮らしていると聞いたので、外出する前に、玄関先やテーブルの上、そして、5メートルくらい離れたベッドなど、あちらこちらに置いておくようにすすめた。帰宅したら、目の前にいるぬいぐるみに「ただいま」。3メートル先には、すこし声を張って「ただいま!」。5メートル離れていれば、「ただいまぁ〜〜‼」と声をかける。声は張りあげても、相手は好きなぬいぐるみなので、トーンは朗らかで穏やかなものとなる。

もうひとつ、女子学生に伝えたのは、常に、内容のある話を披露すること。「あの人は、すこし声が小さくて聞き取りにくいけれど、いつも興味深い話をしてくれる。意見は一聴に値する」という評価を受ければ、まわりの人たちは物音ひとつ立てず、しわぶきひとつせずに耳を傾けるものです。

声量にもコントローラー

「声が小さい……というか、小さいにも程があるだろうって言いたくなるような若者が増えてるわよねぇ〜」

私と同年代の友人は、若者の発言や行動を、毎日のように嘆いている。

「私たちの耳のチカラが衰えてるということもあるけど、それにしても、蚊の泣くような声で話す19、20歳《はたち》って、確かにいるわ」

大学の授業で接する声の小さい学生の顔を思い浮かべながら、私も同意する。

その人にとって楽に出せるボリュームでしか話さない人がいる。静かな部屋のなかで、ふたりきりのときも、繁華街の交差点あたりで立ち話をしているときも、声のボリュームは変わらない。「えっ?!　いま、なんて言ったの?」と聞き返しても、同じボリュームの返事。場所によって場面によって、変えたほうがいいという発想も習慣もないようだ。

大学で担当している話し方講座でも、「相手の耳まで声が届かなければ、言葉を発していないのと同じこと。返事がない、無反応、なにも考えていないと思われ、マイナスの評価を受けてしまいます」と、声の小さい人に奮起をうながしている。

ところが、先週のこと。「私の声って、先生に聞こえていないんですか?」と、小さい声の主から問われ、その説明に、妙に納得した。

「私には、とてもよく聞こえているので、教室の全員に聞こえるくらいの声が出ていると思っていました」

クチと耳は、ご近所さんだ。10センチも離れていない。おまけに、自分の声は、カラダの中でも響いているから、よく聞こえる。

彼女は、幼少期より一度も、声が小さいと言われたことはないという。しかし思い返してみれば、父や母や学校の先生の顔が、常に近くにあったので、「私は、甘やかされていたんですね」と言われ、声の小さい人にも、それぞれの事情があることに気がついた。

数か月前には、「アンタの声はキンキンしていて頭が痛くなる」と母親に言われつづけ、いまとなっては、声を大きくする方法が分からないと相談されたこともあったからだ。

わけもなく大声を出す必要はない。相手の耳まで、過不足なく届けばいい。「大」と「小」のスイッチではなく、照明のコントローラーを回すように、ちょうどいいボリュームを探してみる。そこに到達できるように、すこしずつトライすることを、声の小さい若者にはすすめています。

声のトーンで夫婦ゲンカ

そんなつもりではなかったのに、気がつけばクチゲンカに発展しているとき、大きな要因は「声のトーン」にあると言われています。

トーンは、調子、音程とも言い換えられるが、声の大小、強弱、高低など、さまざまな要素が、いろいろな割合で混じりあい、声を作りあげている。ほかにも、温かい話し方と冷たい話し方、緩急……話すスピードも深く関係していて、相手と声のトーンが合っていないと、マイナスの評価を受けたり、不快な思いをさせたりすることがある。

声のトーンには大きなチカラがあるので、その先の展開を想像しないまま野放しにしていると、望んではいないケンカ・トラブルを引き寄せてしまうことがある。サンプルとして、しばしば引き合いに出されるのが、夫婦喧嘩です。

「お昼ごはんと夕ごはん、なに食べたい？」

休日の朝、たらふく朝ごはんを食べ終えてゴロゴロしているときに、妻が何げなくクチにしたとする。

「いまは考えられない、満腹だから」

相手の「なに食べたい？」と同じトーンで、夫の言葉がつづくと、その場の空気は変わらない。

しかし、同じセリフでも、チカラの抜けた弱くて低いトーンで返事をすると、適当に受け流した、家のことに無関心、投げやりな態度だとタメ息をつかれてしまいます。

それとは逆に、強い口調で、高いところから出る声で、「いまは、考えられない！」と返されると、言われたほうは突き飛ばされたように感じる。

その不快さは、次の発言のトーンを上げる。

「考えなくていいわよ！　ちょっと聞いただけ！」

「じゃあ、聞くなよ‼　ハラいっぱいで気分のいいときに、なんだよ‼」

エスカレートした相手の声にあおられて、ケンカ腰になる。

スタートは、気軽な相談ごとだったのに、途中から、たがいに、相手より大きな声を出そう！刺激の強い言い方をしよう！上から押さえつけよう！という「トーンの戦争」にすり替わっていくのです。

クチビルのあいだから言葉を外に放り出す直前に、声のトーンをコントロールしたほうがいいのか、このままでいいのか、常に、一瞬のチェックが必要です。

リピートはトーンを変えて

「リピートは、同じことを2回くり返すことではない」

ここ数日間で、人から2度も言われ、自分からも1度だけだがクチにした言葉。ひょっとしたら、さまざまな場面に当てはまるのかもしれないと感じています。

五十の手習いで始めたフラメンコのレッスンは、週に1度の汗をかく貴重な時間になっているが、このまま習った部分は、同じ振りつけをリピートしながら舞台のソデにもどる最後のシーン。ターンしてはポーズ、ターンしてはポーズなのだが、先生からは厳しい注文の声が飛ぶ。

「単純に、同じことをくり返さないで‼ 踊りを締めくくる。生演奏に感謝する。お客さんに別れを告げる！ ポージングのたびに、違う意識を持ってね」

六十の手習いで始めたばかりのピアノでも、「リピート記号のあいだを、もう一度弾きますが、表情を変えてみましょう！ 同じトーンでくり返すと、味気ない演奏になってしまいますよ」と、穏やかな語り口ながら、「リピートは、同じことをくり返すものではない」という毅然とした指摘を受けた。

「イベントの告知などで、日にちや電話番号を2回アナウンスすることが多いと思うけど、単純なリピートでは印象に残らないから、声のトーンを強弱や大小で変える。間を取る。スピードを変えるなど、さまざまな工夫をしてみてくださいね」

これは、この春入社の新人のアナウンサーに私が話した内容のひとつ。「受付電話番号は、東京03―4567―8901」の1回目をテンポよく紹介したのなら、2回目は、ひとつひとつの数字が浮き彫りになるように、「よんごーろくななーはちきゅうれいいいち」と丁寧にくり返す。

ほかにも、パーティーのまっ最中にゲストのスピーチや余興があるとき。「ご歓談中ではございますが」と1度だけマイクを握ったのでは、会場いっぱいに盛りあがった話し声がおさまるものではない。声の大きさを「強」「大」にチェンジ！　そこに、粘り気もチョット加えて2度目のアナウンスを入れる。ステージに注目が集まるような雰囲気をつくるために腐心しています。

目を見るのが苦手な人へ

大学で「話し方講座」を担当していると、休憩時間に訪ねてきて、ほかの学生の前では言えない悩みを打ち明けられることがある。そのひとつに、「他人の目を見るのが苦手」という相談があります。

「相手の目を見て話すのが苦手なんです」

その女子学生の視線は、授業中も、指名して発言をもとめたときも、そして今、相談に訪れてからも、斜め45度くらいに下げられたままだ。

「たまには、私の顔を見て話してほしいけど、見るのは、目じゃなくてもいいのではないかしら？」

「…えっ、人の目を見て話せって、よく言われるではないですか？」

確かに「相手の目を見ろ！」と叫ばれつづけてはいるが、実際、あまりにも強く、あまりにも長く、ジィ〜と目を見られたら、追い詰められているような気持ちになる。気詰まりで話も弾まなくなるものだ。

彼女には、相手の目のあたりに視線を持っていくことをすすめる。「目のあたり」だから、眉間、眉毛、まぶた、頬骨、鼻……そのあたりに視線を送っていれば、相手は、目を見て熱心に話している、目を合わせて真剣に聞いていると感じるものです。

私の友人に、「上司のつまんない話や、母の長い話につきあうときは、ずうっと鼻を見てるんだけど、バレないものよね」と、常に成功をおさめている人もいる。

さらに、相談にきた学生には、目だけ合わせることの危険性、合わせた目をそらすときの方向の重要性にも気づいてほしいという話をつけ加えた。

たとえば、相手の目を凝視してしまい、ほほ笑みや口角を上げるのを忘れていたことはありませんか？　その結果、強い視線に耐えかねた相手が思わず目をそらす、それも、横にそらされて、突き放されたような、無視されたような寂しい気分を味わったことはありませんか？

そんな悲しい思いをしないための小さな工夫があります。口元の緊張をゆるめると、目のなかに笑みが生まれる。口角を上げると頬骨が上がり、顔全体に笑みが広がる。ほほ笑みと一緒に、相手の目のあたりに視線を送れば、威圧感を伴いません。そして、視線は、タテに動かしてから外せば、失礼な印象を与えません。

相手の信号に敏感であれ

「お出かけですか？」「ちょっと、そこまで」

この、曖昧このうえないやりとりを覚えているのは、私と同じくらいの世代か、もっと年齢が上の方になってしまうのかもしれない。

ギリギリ覚えている私でも、この会話の良さに気づいたのは、そう昔のことではない。祖母や母に手を引かれて駅に向かう途中、すれ違う近所の人から「お出かけですか？」と問われると、「ちょっと、そこまで」と応ずる身内に、いつも不思議な思いを抱いていた。（東京に買い物に行くのが、ちょっとそこなの？）（祖父母の家までって、どうしてハッキリ言わないんだろう？）などと、小さい首を傾げたものだった。

長じて、「こんにちは」を交わしあうのと同じ役目を果たしていることに気がつく。そして、「こんにちは」より、相手の動きに合わせたタイムリーな語りかけになっていることにも。さらに、聞くほうも答えるほうも、細々《こまごま》した情報を交換したいわけではないということにも思いが至る。

「お変わりないですか？」「おかげさまで」

「儲かりまっか？」「ボチボチでんな」

曖昧なやりとりは、ほかにも存在する。具体的に答える人には追加の質問をしてもいいが、「おかげさま」や「ボチボチ」からは、（詳しく聞かないでね）という信号を受け取る。相手との距離を上手に保つために、昔から練りあげられてきた踏み込まない会話に感心する。

それと同時に、その信号を感知してもらえない場面にも、遭遇！　飲食店や美容院などでの雑談タイムに多く発生しがちだ。

「どちらに、お住まいなんですか？」「都内です」「何区ですか？」

「都内」が、この会話は発展させられないという信号なのだが、汲み取ってもらえないことが多い。

「今日は、どんなふうにお過ごしでした？」「散歩したり買い物したり」（取り立てて何かをしていたわけではないので、これ以上は聞かないで）という信号なのだが、「何を買ったんですか？」「お気に入りの散歩コースは？」と見過ごされる。リラックスしたいときに、気疲れしてしまいます。

使い方で善にも失礼にも

「お待たせしました！」。この相手を気遣うひとこと、本来なら良い言葉遣いに、小さくではあるが、ムッと腹を立ててしまうことがある。

　行列のできるパン屋さんや、夕餉の買いもの客で混みあうスーパーマーケットで耳にすることが多いのだが、すこし心が傷つくのは、自分のあとに並んでいた人に対して言っている「お待たせしました」を、横顔や背中で聞いてしまったときだ。

　とくに、会計を済ませた人への「ありがとうございました」と、次の人を迎える「お待たせしました」を、ひと息で続けて言ったり、後者のほうが声が大きくなったり、「お客さま！　大変、長いことお待たせいたしました‼」などと、待たせたことを強調されたりすると、直前の客に非があったような印象を受ける。

（前の客がモタモタしてるから、なかなかアナタの順番がまわってこなくて、ごめんなさいね）という含みを持たせているように感じてしまうのだ。

　それまでの穏やかな顔が、お店の去りぎわに一変！（ワタシが悪いの⁉　ワタシが手間取ったわけじゃないわ、店が混んでるのよ）とクチがへの字に曲がってしまう。どうしても「お待たせしました」の声をかけたいのなら、その場から、前の客の姿が消えるのを待って、それからでもいいのではないかと思います。

まずは、「いらっしゃいませ」で迎え、合計金額を伝えるとき、もしくは、おつりを渡しながら、「レジが混み合ってしまい、お待たせしました」「お並びいただき、ありがとうございます」などと言い添えるのはどうでしょうか？

さらに、うしろに並んで待っている人の目からは、たとえ、それが妥当な時間であっても、前の人の行動はモタモタしているように見えるものだ。

ポイントカードを探すのに時間がかかり過ぎ！　受け取ったおつりのしまい方が遅い。このイライラが顔に出ると、店のスタッフのほうも「お待たせしました！」と声を張りあげたくなる。

気忙しいときほど、深く呼吸して、クチビルの両方の端をあげる。「お待たせしました」を悪者にしないために、私も忘れないようにします。

断り上手は2段ロケット

上手な「ことわり方」を身につけている人に出会うと、お見事！と感心すると同時に、私も身につけることができるようにと分析の真似ごとなどを試みている。

数日前にもテレビ局のロビーで、ことわり上手のマネジャーを見かけた。彼が担当しているアイドル歌手への出演依頼をことわっているのだが、まずは、事情を説明。

「スケジュール表をチェックして驚きました。その週は、地方公演が決まっていました」

目や口の表情も、とても残念そうだ。

「またチャンスをくださいね。○○さんと仕事をするのが目標なんですから！」

相手の名前を織り込みながら、近い将来のつながりを力強く引き寄せている。

ことわられている相手も、「ボクと組むのが目標」というフレーズに相好を崩している。

上手な「ことわり方」は、2段ロケットになっている。私の分析結果です。

日程の都合が合わなくて残念ということを伝えるだけでは、なんの工夫も感じられない。ここで、1段目の「スケジュールNG」ロケットを切り離して、2段目の「次回はぜひご一緒しましょう！」を未来に向かって飛ばしていることで、相手の気持ちが、「こと

わられたぁ～」から「次のオファー」に切り換わっていたのだ。

ビジネスのシーンでも、プライベートの場面でも、ことわり方の上手な人は得をしている。

友人同士の食事会でも、「忙しくて参加できないわ」だけをくり返していると、しだいにお誘いが減少するが、そのあとに、出席できる可能性が高い日にちを複数提示できれば、もう一度、練り直してみようかという機運が高まるものだ。

ただ「できません！」というだけでは、将来の可能性を狭めてしまう。上手な「ことわり方」を身につけていると、相手のプライドを傷つけない。ふたりの関係性もギクシャクしない。自分自身のココロにも、イヤな空気が流れ込んでくるのを防げるわけです。

人柄が出るおわびの場面

ここ数か月のあいだに、「お騒がせして申し訳ありません」と、目の前で頭をさげられることが3回ほどあったのだが、ひとりとして、その「お騒がせ」の起因となった寝坊や忘れ物や連絡ミスについて触れないので、心の底から「気にしないで」と言えずにいる私。

テレビ番組の収録開始時刻になっても、衣装が届かないという事件も、そのひとつだった。

複数の洋服のメーカーをまわり、組み合わせを考えた衣装とともに現れるはずのスタイリストが、待てど暮らせど姿を見せない。携帯電話を鳴らしても出ない、メールにも返信がない。

まず頭をよぎるのは、体調不良で寝込んでいるのではないか、トラブルに巻き込まれたのではないかという「心配」だ。つぎに、時間通りにスタートできなかった場合の「迷惑」！　ひとつの番組には、カメラマンや音響照明の専門家など数十人のスタッフが集結していて、それぞれに異なる事情を抱えている。そこに、衣装未到着を伝えることで、スタジオの使用を延長できるか、ほかの仕事との折り合いをはかれるか、一斉に、電話や話し合いが始まって「大騒ぎ」となる。

それなのに、時間は押したものの無事に終えた収録のあとで、「さきほどは、お騒がせして申し訳ありませんでした」という発言だけでは、最後の「大騒ぎ」の部分にしか頭をさげていないことになる。

なんらかの失敗をしてしまった直後は、まわりからの厳しい視線に身の置きどころがない。一刻も早く逃げ出したいところだが、そのときの対応にこそ、その人の問題解決に向かう姿勢がにじみでる。

「ご心配をおかけして」「ご迷惑をおかけして」「お騒がせして申し訳ありません」は、トラブルの原因から二次的に派生した部分に言及しているだけだから、みずからがおかした失敗を反省しているのかどうかが分からない。
恥ずかしくとも真っ先にクチにするのは、「お騒がせ」の起因となった「自分のしたこと」！　そして、その反省や、これからの留意点だ。「心配」「迷惑」「お騒がせ」ばかりを言いつづけて、謝罪のポイントをずらしてはいけないのです。

改まった表現を味方に

パソコンや携帯電話のメールで連絡を取りあっていて、「了解！」という返信を受け取ることが増えている。

初めのころは、業務連絡のようで味気ないと思う程度だったが、しだいに、ビジネス上の失敗につながる場合があると確信するようになった。

講演会の依頼を受けたときのこと。打ち合わせも順調に進んで、最後に、最寄りの駅や会場への到着時間などの確認メールを入れたところ、「了解です」という返信があった。開催決定にこぎ着けるまでは、きめ細やかなやりとりをしていたのに、すべてが決まった途端、雑な扱いに変わったとおへソを曲げそうになったことがある。

「了解」に「です」や「しました」をつけても、丁寧な表現にはなるが、尊敬語に進化はしない。そこから、相手を立てている空気が湧き出すことはないのです。

親しい友人や家族とのあいだでは「了解」で事足りるが、仕事相手や目上の人の前には、「かしこまりました」や「承知いたしました」を登場させたい。改まった表現を身につけることで、折り目正しいイメージを残すことができる。

急募
了解の代わり
心あたりのある方
よろしくお願いします
業務 改まった表現
勤務地 「了解です」と
「かしこまりました」の間
時給 要相談
堅苦しくなく、ビジネスでも
働ける方歓迎!!
izumi

しかし、「かしこまりました」や「承知いたしました」には、課題がひとつある。

メールや手紙に、書いて表現することはできても、会話のなかで使おうとすると、必要以上の緊張感がにじみ出てしまって、なごやかな雰囲気に水を差してしまいかねない。声のトーンによっては、慇懃無礼に聞こえてしまう危険もはらんでいる。

いま、私は、「了解です」と「かしこまりました」や「承知いたしました」のあいだに位置づけできるような、やや改まった表現を探しています。「よく分かりました」では、言い方によっては、生意気！　「はっきり理解できました」では、学校の授業中のようで堅苦しい！　良い塩梅のフレーズをお持ちの方、教えていただけますか？　お待ちしています。

「恐れ入ります」で女子力

「マサコさんって、『恐縮です』のほうを使うわよね⁉」と、日本語学校で先生をしている友人から切り出され、何のことを言っているんだろうと頭の中がハテナマークで充満したことがある。

その友人は、留学生に日本語を手ほどきする名手で、言葉選びには常に敏感！「恐縮」について、なんらかの話があるのは推しはかれるが、その先の見当がつかずに小首を傾げていた。

「女性には、『恐縮です』ではなくて、『恐れ入ります』をすすめているんだけど、どう思う?」

当時、芸能レポーターの梨元勝さんと番組で会うことが多かったから、私も「恐縮です」に染まったのかもしれないと彼女は言い添えてくれたが、同じ意味を持つ違う表現について、それまでの私は考えたこともなかった。

「確かに、耳から入ってくる言葉でも、漢字だけが並んでいたり、画数が多かったりすると、イメージは、男性！ それも、強い主張になるわね」

と答えながら、そのとき初めて、私のおしゃべりの中に「恐れ入ります」を加えたら、どんなふうになるのだろうと思いをめぐらせてみた。

訪問先で応接室や会議室に案内されるとき、ホテルやレストランで部屋やテーブルに案内されるとき、「こちらへどうぞ」と先に立って歩いてくださる方に、「恐れ入ります」と言いながらついて行く。

うっかり落としてしまった定期券やハンカチーフを、後ろから歩いてきた人に拾ってもらったら、「恐れ入ります」を口にしながら頭をさげる。

新しい洋服やバッグを、「春らしい色合いで素敵ね、お似合いだわ」とほめてもらえたら、「恐れ入ります」と笑顔で振り向く。

「恐縮です」よりも、優しく、柔らかく、女性に似合う言葉選びになると確信。私のおしゃべりの中のレギュラー選手に迎え入れた瞬間だった。

もちろん、「ありがとうございます」とも併用するが、「恐れ入ります」を試し始めたころは、すこし緊張したのを覚えている。奥ゆかしい言葉遣いだからといって、おっとり発音する必要はない。普段の話し方のまま、スピードも落とすことなく取り入れれば、まわりの人たちの耳にも自然に届きます。

「敬語」の重ね着をやめて

千葉県の海沿いにキャンパスを持つ大学で講義を受け持ったときのこと。ひとりの女子大生が意を決したような表情で、帰り支度をする私を控室に訪ねてきた。

レストランでアルバイトをしている彼女は、丁寧に話そうとすればするほど、敬語のことが分からなくなると悩んでいた。

たとえば、ファミリーを席に案内しながら、「お子さま用の椅子を、ご利用されますか?」「小さいスプーンとフォークを、ご利用なされますか?」などとたずねたときに、(なんとなくヘンだわ、私の日本語！　でも、どこがヘンなのかしら?)と首をかしげるという。

違和感の原因は、二重敬語！　「利用する」の頭に「ご」をつけた段階で、「ご利用になる」。もうすでに尊敬の表現になっているのに、「する」も、敬語の「される」や「なさる」に変えているからだ。

敬語を重ねる言い方は、仕事や公式の場では適切でないといわれている。なかには、丁寧過ぎて、かえって失礼だと不快に思う人もいる。

私も、最近、「ご予約のオマタさまが、お越しになられました」と、レストランの受付の人に言われながらテーブルに案内されたことがある。まわりくどい言い方にも聞こえたし、腰が低いのはうわべだけではないかという印象を受けた。

これも、「お越しになる」で尊敬の表現になっているのに、「れる」「られる」をつけてしまっている二重敬語だ。

お客さんに接するときや、上司や得意先の前で話すときは、言葉遣いでの粗相がないようにしたいと願うあまり、過剰に敬語を使ってしまいがちだが、尊敬の表現は、ひとつで十分だ。

二重敬語は、尊敬表現の重ね着をしているようなものだから、どちらか1枚、脱げるほうを、脱ぎすててしまいましょう!

「ご利用されますか?」は、「ご利用ですか?」、もしくは、「ご利用になりますか?」。「ご」をはずして「利用されますか?」。

「お越しになられました」は、「お越しになりました」。

尊敬の気持ちを残しつつ、スッキリした表現になりました。

「させていただきます」の罠

「させていただきます」は、私たちの会話のなかに、ふたつの罠を仕掛けています。

ひとつめは、ストップできない「させていただきます」の連鎖！

「これより、納涼パーティーを始めさせていただきます。わたしが司会をつとめさせていただきます山本です。人事部で、研修の窓口を担当させていただいています。さっそく、乾杯をさせていただきたいのですが、その前に、ごあいさつをいただく方を、ご指名させていただきます」

これは、暑気払いの冒頭シーンだが、すでに5回も登場している「させていただきます」が、このあとも山積みになることが予想される。

自分のやっていることが、相手にとって不愉快なものにならないようにしたい、そういう気持ちが強く働きすぎると起こりがちな現象だ。

遠慮がちな姿勢とも見てとれるが、なかには、へりくだりながらも、結局、自分の思い通りに進めているではないかと指摘する人もいる。

おまけに、「ご指名させていただきます」が多重敬語になっている。これが、もうひとつの罠！　謙譲表現の必要以上の重なりだ。

「それでは、明日の午後3時に、おうかがいさせていただきます」

「お送りいただいた台本を、これから、拝見させていただきます」

これは、私自身も使ってしまいがちな表現で、クチから出てしまったのを自身の耳がとらえて、何度も反省をうながしている。

「ご」や「お」をつけて、すでに丁寧にしてある単語、もしくは、「拝見」のように、それ自体が、謙譲語になっている単語に、さらに重ねる「させていただきます」は、間違った表現。ゴテゴテしたクドイ印象もあたえる。「させていただきます」を使っておけば、丁寧で、礼儀正しい表現になるような気がしている人は多い。すこしずつ、「します」や「いたします」を織りまぜて、すっきりした表現を心掛け、「させていただきます」の罠から抜け出しましょう。

謙譲語の迷路から脱出！

敬語や謙譲語をまったく使えない若者がいる一方で、なんにでも「させていただく」をつけて、（これで文句ないでしょ⁉）という表情を浮かべる若者もいる。

数日前のテレビ番組で見かけた男性アイドルは、後者の代表のような答え方でインタビューにのぞんでいた。

「こんな大きな舞台に出させていただくのは初めてなんで」

ほかにも、「稽古にも、毎日、参加させていただいてるんで」、「劇中歌を、次の新曲として、レコーディングさせていただいたんで」。とにかく、丁寧モードがつづく。それと同時に、文章の途中で言葉を切り、いわゆる〝ドヤ顔〟でカメラ目線になる若者に、私は、イライラをつのらせていた。

このあと、いきなり握ったリモコンで、テレビの電源を切るのだが、それは、主役を務める同じ事務所のトップスターについての感想を求められたときだった。

「子供のころから、ず～っと、憧れさせていただいてたんで」

テレビ画面に向かって文句を言うのはオバサンの証しと分かってはいるが、気がついた

ら、「させていただくは、ぜ〜んぶいらないから、最後までシッカリしゃべりなさい‼」とお説教していた。

このことを、日本語の教師をしている友人に話したところ、謙譲語の多用は耳に障るうえに、「憧れさせていただく」には首をかしげると言う。「させていただく」は、許可を得た、もしくは、許可を求める場面で、そこから恩恵を得るときに使う言葉だと教えてくれた。

たとえば、パーティー会場に主賓が到着していないが、定刻でスタートしていいという承諾を得た場合には、「始めさせていただきます」という開宴宣言ができる。

たとえば、休暇を取りたいときには、「お休みさせていただけますか？」と上司に申し出る。

相手の了承も得ていないのに、一方的に、「今月いっぱいで辞めさせていただきます」「提出期限は、2週間後とさせていただきます」というように宣言すると、一瞬、低姿勢のように聞こえるけれど、本当は、とても不遜で、相手の気分を害する危険がひそんでいるのです。

気くばりのつぼみ

会えない時間が育てるのは、男女の〝愛〟だけではない

「メールのお作法」入門前

飲食店で注文した人は、注文した直後から、飲み物が出てくるのを、料理が出てくるのを、いまかいまかと待ち構えている。パソコンで送受信するメールにも、この図式は当てはまる。送信ボタンを押した直後から、（無事に送信されただろうか。いまごろ、読んでいるころだろうか。返信メールが来るのは何時間後だろうか、1時間か、2時間か）と、内容が今後の仕事や収入に関わるときほど、受信ボックスをチェックする回数も増える。

いまの私は、1分1秒を争うような案件を抱えてはいないが、それでも、〝当日のお返事〟は心がけている。「その日のうちに返事をしようと思うメールを、どうしていますか？」と、数人が集う食事会で聞かれたこともある。その人は、「朝一番のメールチェックでフラグをつけて、色によって急ぐものかどうかを分けるんだけど、ソフトをいったん閉じると、うっかり忘れてしまうことが多くて」と頭を悩ませていた。このときの答えは十人十色、それぞれの工夫に感心するばかりだった。

「読んだらすぐに返事を書く、だから、返事を書けるときにメールをチェックする」

「未開封に戻すと、アイコンの肩に数字が出たままになるので、それを、自分への注意喚起にしている」

「デスクトップに、今日の日づけを入れたボックスを作り、そこに、急ぎのメールをドラッグして入れておく」

「受信メールを読んだあとに、返信ボタンを押すと下書きに保存される。下書きに何本のメールがあるか数字が表示されるので、その日のうちにゼロを目指す」という私の方法にも「へぇ〜」という驚きの反応があって嬉しかったものです。


このあと、メール談議に花が咲いたのだが、「仕事の依頼や、面談の約束のメールには、まずは、受け取りましたという返事がほしい」という声もあがった。

「上司が、スクロールしない」という話も新鮮だった。
「だらだら書かれた長いメールを読むのは疲れるから、要件ごとに分けるように!!」と厳しく言われているという。確かに、時候のあいさつや事の経緯が詳しく書かれていて、スクロールしないと、肝心のお願いごとや次回の打ち合わせ日時が分からないメールを受け取ることがある。スクロールしない相手だったら、これは危険ですね。

メールにも必要な〝雑談力〟

「顔を見たこともない人と、一緒に仕事はできない」と言いはる私は、もう時代遅れなのかもしれない。

ここのところ、メールの送受信だけで仕事の話が進むことがある。そして、その仕事の本番の会場でも、メールのやり取りをしていた人と会えないことがあり、初めのうちは愕然としていた。もちろん、いまでも違和感は消えていない。

たとえば、講演会ひとつ取っても、舞台裏の楽屋に、その仕事の窓口になっていた人の姿が見えないことがあり、「彼女は、出演交渉の専門家なんです。当日の進行は、私たちにお任せください」などと説明される。

出演の打診から、開催の趣旨説明、待遇面の詳細、スケジュールの調整まで、こと細かにメールの送受信をしていた人がいないことを知ると、役割分担なんだとアタマでは理解しても、なんだかモノ扱いされているようで寂しくなるのです。

そんなことを感じていた今日このごろ、メールにも〝雑談力〟が必要だと感じ入る文章が、私のパソコンに飛び込んできた。

「平素より大変お世話になっております」

「貴社ますますご清栄のこととお喜び申し上げます」

というような業務用の通信文が並ぶなかで、その人のメールの書き出しには、ホンの1行だけれど、まわりの様子が手に取るようにわかるひとこと、暮らしぶりを想像できるようなエピソードが入っている。

「今日は長野工場に来ていますが、1メートル先が見えない霧に包まれています」

うだるような暑さの東京に、白い冷気がスーッと帯のように流れてきた。
「小さな畑を持っているのですが、今年はナスが豊作です」
顔は知らなくても、麦わら帽子をかぶり、首にタオルを巻き、蝉しぐれのなかで汗を流す姿が浮かんでくる。
定型文ではない時候のあいさつがあったり、相手のいる場所の情報があったり、近況報告があったりすると、その部分にも返信でふれるので、しだいに互いの情報がオープンになっていく。すこしずつ親密度も増していくので、安心して連絡を取りあえます。

メールの件名に託す思い

「私、オオカミ姉さんって呼ばれてしまったんです」

頭を抱えている女性がいます。

話を聞いてみると、全員の承認がほしい社内メールに、いつも数人の返信がなくて仕事がとどこおるので、件名の欄に「至急！　○○に関する書類」のように、「至急！」や「緊急！」の2文字を加えて発信するようにしていた。

いつしか、それほど急いでいないものにも、至急や緊急を添えるようになっていたので、慌てて返事をする必要はないとタカをくくる人があらわれ、結果として、以前より遅い返信が増えてしまった。それどころか、オオカミ少年のようだと悪口まで言われてしまったのだ。

「なにか良いアイデアはありませんか？」と問われ、ふと思いついたのは、具体的な日にちを入れること！　私たちの目や耳は、数字に敏感だと言われているので、「締め切りが3日後に迫っています」「提出期限は、2月4日です」というように数字がはいると、俄然、注目度があがる。相手への注意喚起につながるのではないかと思ったのです。

メールの件名に関しては、私にも、教訓とする思い出がある。返信が遅いどころか、件名を一目《いちもく》しただけで削除されてしまったことがある。

「♪またお会いしたいです♪」

お目にかかりたいという気持ちを音符で飾ってみたのだが、これが、お色気ムンムンの店からのお誘いだと誤解され、中身を読まれることもなく消去されていたのだ。

それ以来、中身の分かるような1行にすること、さらに、件名のあとにカッコつきで名前を添えるようにしている。

「『話題のつぼみ』139本目の原稿（小俣）」

「近いうちに、お会いしたいです♪（小俣）」

といった具合だが、いまのところ、返事が後まわしになったり、未読のままゴミ箱行きになったりはしていないので、功を奏しているようだ。

それから、もうひとつ、オオカミ姉さんのイメージを払拭したい女性には、提出期限を守った相手に、短くてもいいので、拝受メールをすることもオススメ！　自分の起こしたアクションに即座の反応があると、ひとまず、相手は安心する。送信すれば届くものとは知りながらも、〝荷物〟の無事は確認したいものです。

「さま」をつけてから登録

パソコンや携帯電話に新しい連絡先を登録するときに、名前に「さま」をつけるようにしています。

始めたキッカケは、会社の受付で記入する面会カード！　訪問先の部署と名前を記入する欄に、「アナウンス部／小俣雅子さま」のように敬称を書き添える人がいて、偶然、それを見かけたときからだった。

打ち合わせを終えて、そのお客さまを見送ったあと、カウンター越しに受付の女性としばし談笑しなかったら、しかもそのときに、その面会カードが、積みあげられたカードの一番上になかったら、私は、私の名前のあとの「さま」を知らないまま、今日《こんにち》に至っていたかもしれない。

相手の目におそらく触れないところで、そして、相手とじかに接していないときにも、その存在を大切に扱っている。そんなイメージを受け取って感激し、さっそく私も見習うことにしたのだ。

同時に興味本位なのだが、「さま」を記入した人との次の会議の席で、どのくらい前か

ら面会カードに敬称をつけていたのか尋ねてみた。

「バレた!?」と驚きながらも、名刺交換をした数年前から続けていたことを笑顔で告白。実はその人も、ゴルフ場で、スコアカードの名前の欄に「○○さん」と書き込んでいる人とラウンドしたときに、いい習慣だと感心して真似るようになったという。

メールのアドレスは、郵便物でいうと住所のようなものだから、敬称はつけなくていいのではという人もいるが、パソコンの画面にひろげた作成中のメールの宛先に、敬称なしの名前が打ち込まれていると、いまや違和感を覚える。相手の名前を記号としてしかとらえていないような味気ない感覚に、居心地の悪さを感じるのだ。

敬称をつけてのアドレス登録のさいには、パソコンでは名前の横に「さま」を、携帯電話では「さん」を添えるのが、いまの私のルールになっている。携帯のほうが身近な道具なので、この敬称の使い分けがしっくり合っているような気がする。宛先が個人ではない場合は、「山梨日日新聞　文化・くらし報道部のみなさま」というようにしています。

下の名前まで覚えて保存

パソコンや携帯電話のアドレス帳に、新たに知り合った人を登録するときは、できるだけ、フルネームで保存するようにしています。

数日前にも、名刺交換したばかりの「佐藤さん」に下の名前も加えて登録したところだ。

じつは、この「佐藤さん」は、今月の終わりに開催される講演会の担当者なので、もう10回を超えるメールのやりとりをしていたのだが、はじめに紹介されたときも名字のみ、そのあとのメールの文末にも名字のみで、ファーストネームを知る機会がなかった。

佐藤さんや鈴木さん、高橋さんや田中さんたち、全国上位の名字の持ち主は、下の名前が加わらないと、とくに、イメージが湧きにくい。なかなか覚えられない。

ところが今回、名刺交換をしてみれば、下の名前が「愛一郎さん」!

「少年のころは、男なのに〝愛〟の入っている名前が恥ずかしくて、両親に文句を言ったこともあるんですが、いまでは、自分の特徴のひとつだし、愛着を感じているんですよ」

「佐藤さん」だけでは、日本で一番多くいる佐藤姓のなかのひとりだが、「佐藤愛一郎さん」と分かった瞬間、彼だけにスポットライトが当たるのを感じる。

下の名前を覚えると、その人のイメージが明確になって記憶に残り、このつぎ、どこか別の場所ですれ違っても、たくさんの人が集う会場にいても、「佐藤愛一郎さん」探しをできる自信が深まるのです。

以前、日本に暮らして長い外国の方から、こんなことを言われたことがある。

「宛先を書くときに、文化の違いを感じます」

封筒や配送伝票に住所を書くとき、日本では、○○県→市町村→番地→名字→名前の順番だが、彼らの国では、まずはじめに、下の名前！　ここに、個人をどうとらえるかの歴史はあるが、下の名前が、その人の特定につながることに変わりはない。

フルネームでの記入は、パソコンや携帯電話のアドレス帳にかぎらない。手帳の面会予定者や、夜の会食の相手の欄にも、下の名前を書き込んでおく。メールや手紙の文面にも、一度はフルネームを登場させる。その人個人とのご縁が太くつながるような気がいたします。

「CC」に知らない人が10人

他人の電話番号や住所を、第三者に伝えるときには、教えてもいいかどうかを本人に確認するのが当たり前になっているが、そんななかで、個人情報の〝漏水〟が止まらない不思議なポイントがある。

そこは、パソコンで交わしあうメールの「CC」欄です。

先日も、たったひとりの人と名刺交換しただけなのに、次の日に送信されてきたメールの「CC」には、10人以上の見知らぬ名前が並んでいて、目を白黒させてしまった。

「お仕事を依頼したいので、私の上司や代理店のメンバーをCCに入れます。ご了承ください」というような同僚を紹介する一文も見当たらないので、次に会ったとき、私は注意を喚起したくて、こう切り出してみた。

「初めてのメールに、いきなり、10人を超える人たちがCC欄に並んでいて驚きました」

すると相手は、私の驚きや不満にではなく、人数が多いことのみに反応した。

「ウチの会社、大人数のCCで有名なんですよぉ〜」

悪びれない陽気さに、次の言葉を飲み込んでしまった。私のほうが、神経質になり過ぎているのだろうか？

個人情報の〝漏水〟は、携帯電話のなかでも、ときどき発生する。一番多いのは、アドレス変更のお知らせ！　10人ずつくらいにまとめられて送信されると、いままでアドレスを知らなかった人を発見することがある。

これは同時に、私の意に反して、自分のアドレスが流布されているということでもあるので、そのことに気がついて以来、アットマークの前に名前を織り込まないようにしている。

個人の情報は守れるだけ守ったほうがいいと考えているが、それでも、その個人情報の保護を理由に、引き継ぐべき連絡先が後任のスタッフに渡っていなくて、不便を強いられることもある。

つい数日前も、講演の開催が近づいているのに連絡が途絶えているので、心配になって電話を入れてみた企業がある。

「担当者が急に辞めてしまったんですが、オマタさんの連絡先は、個人情報だから教えられないと言われて困っていたんです」

〝漏水〟と保護の境目、良い塩梅におさまらないものでしょうか？

頭に残る「ではなくて」

「○○ではなくて□□」というような念の押し方をすると、先に耳にはいったほうの言葉が、色濃く記憶されてしまうことがある。脳にしがみついた〝思い込み〟ってガンコですからねぇ〜、自分では間違いに気づけなかったり、間違いを指摘されても、素直に認めることができなかったりします。

私も、その昔、「新宿駅の東口じゃなくて南口ね」という約束を幼なじみと交わしたことがある。彼女との待ち合わせは、決まって東口の改札前だったのだが、その日に向かう劇場は、南口のほうが圧倒的に便利だったのだ。ところが、私の幼なじみは、〝いつもの〟東口に出てしまい、待てど暮らせど合流できない。お芝居の開演時間も近づいてくる。

「ピンポンパンポーン！　ご友人のオマタマサコさんが、南口改札前でお待ちです‼」

携帯電話もない時代ゆえ依頼した呼び出しのアナウンスは、とてつもない大音響で駅構内を駆けめぐり、思わず柱のうしろに隠れるほど恥ずかしかったことを思い出す。

おまけに、ようやく集合場所にたどり着いた友人からは、「南口なんて、聞いてなかったよ！」と尖った声を出され、しばらく、おたがいに不機嫌だった覚えがあります。

「スポンサーの名前を間違えないようにね！　今日のイベントは、『花王』ではなくて『ライオン』だから」

　これは、入社したばかりの新人アナウンサーを混乱させることになった先輩の私のひとこと。緊張しながら舞台に立った後輩は、洗顔石鹸を紹介する「顔を洗う」というくだりで、「カオを」と口にした瞬間、（いま、私、カオウと言った！　花王と言ったぁ～‼）とパニックにおちいり、目を見開いて凍りついてしまったのだ。

　このまま沈黙が続いたら、私も舞台に出てフォローしたほうがいいのか、何秒くらいなら待ったほうがいいのか、迷った。アタマが沸騰するほど、迷った。そして同時に、本番直前の新人に、「○○ではなくて□□」という紛《まぎ》らわしい注意をしたことを反省した。
　幸い、5～6秒の沈黙ののち、洗顔石鹸のお知らせに戻ったので、ホッと胸をなでおろしたのだが、このことは、教訓として、いまでも守るようにしています。

習慣にしたい明日の確認

毎日の習慣にしていることのひとつに、明日の約束を確認する作業がある。

電話なり、メールなりで、都合が悪くなっていないかどうかを確かめるのだが、これは、10年ほど前の〝羽田成田取り違え事件〟に端を発している。

香港に出発する前日、かなり遅い時間ではあったが、一緒に行くメンバーのひとりから電話がはいった。

「明日は、空港のチェックインカウンターで待ち合わせですよね？」

という問いかけ。

「羽田から出発するのは初めてだから、迷子にならないように気をつけてくださいね」

と返したところ、しばしの沈黙。

「…ん？　はねだ？？　エッ！ハネダから出るの!?　ナリタの駐車場を予約しちゃったよぉ～」

これが、教訓となった。

それ以来、約束の前の日に、相手の都合に変わりがないかどうかをたずねるとともに、集合場所やレストランの名前などを確認するようになった。

確認するのは、場所だけではない。時間も、大切な要素だ。

先日も、14時半を4時半と聞き違えて、初顔合わせの席に遅れてきた人がいた。この2時間のスキマはなかなか埋められなくて、仕事がだいぶ進んだ現在でも、まるごと信用される存在にはなっていない。

私自身は、14時半の「ハン」を耳がキャッチしそこなって悔やんだことがある。現場に早く着くのは良いことだが、その前の仕事に30分多く使えたと思うと後悔の念が湧きあがった。時間の前日確認は、明日の我が身を助けると信じている。

取引先や高い立場の人が相手のときは、先方が発した言葉と違う単語を使わないという教えがある。調和の空気を保つための大事なポイントだが、例外はある。それが、時刻の言い方！「集合は、16時です」「午後の4時ですね」という言い換えは、確認の姿勢が伝わるので、失礼にあたらないと言われている。

「オマタさんと約束してると、前の日にかならず確認のメールをもらえるから、ホントに安心なの」と言われるが、〝情けは人の為ならず〟を地で行っているようなもの。トラブルを未然に防ぐという役割もあるが、それ以上に、自分の間違いに事前に気づくという大きな役割があるのです。

ダブル・コンファームって!?

「他人《ひと》のふり見て、我がふり直せ」は、本来、かんばしくない態度や動作を改めるようにうながすことわざだが、ときには、他人のふりを部分的に掬いあげて、良い方向に受け取ってもいいかなと思うことがある。

放送業界の先輩に、何度会っても打ち解けない上品な言葉遣いと上品な物腰の方がいる。あまりにも高い〝上品〟の壁は、相手を遠ざけると悲しい思いで見上げながらも、お手本にしたいことを次々と発見する。たとえば、お箸。長く優雅に見えるように手の形をととのえ、食べものと接するのは先端のごくわずかな部分だけ！　その人の箸遣いは真似すべきだと目標にしている。

もうひとり、古くからの知りあいに、人並みはずれて心配性の大先輩がいる。どのくらい心配性かというと、誰かと会う約束をしている日が近づくと、相手が約束を忘れているのではないかと心配でたまらず、さまざまな方法で確認せずにはいられなくなる。

その昔はまず、「ご都合は、お変わりなくよろしいですか？」と書かれたハガキが到着！そのあとを追って、自宅の電話。受話器を取ると、「ハガキにも書きましたが、ご都合は、

明日
楽しみにしてるわネ！
こちらこそ！
izumi

お変わりなくよろしいですか？」と切り出されるのが常だった。時代の流れで、近ごろの確認はメールと携帯電話に変わっているが、それも毎日のこととなるとユウウツ。その日が待ち遠しくなくなってしまう。

しかし、前の日に1回だけのメールだったら、相手が本当に失念していた場合に有用な確認となる。さらに、再会を楽しみにしている気持ちも伝えることができる。心配性の知人の行動から、前日の確認メールだけをピックアップして、数年前から続けている。

「オマタさんのダブル・コンファーム（確認）は良い習慣ですね、私も見習っています」

ごく最近、英単語まじりで褒められて、嬉しさ1倍、気恥ずかしさ100倍であった。横文字で表現されると大袈裟な印象になり、ささやかに続けていた確認メールとは符合しないような気がしたのです。

10分前の相手を想像する

　数年前の冬のこと。朝には青空ものぞいていたのに、昼過ぎに舞いはじめた雪が勢いを増すばかりで、夕方には東京の交通機関は大混乱！　その日の夜に入っていたイベントの打ち合わせは、日を違《たが》えたほうがいいと考えたのは私ひとりではなかった。しかし、そのイベントを主催する企業の担当者は、電話口でこう言い放った。

「雪ごときで、延期ですかぁ〜？」

　巨大なビルのなかで働いていると、帰宅が危ぶまれるくらいの大雪だと実感できないのだろう。本数の減ってしまった電車をなんとか乗りつぎ、ズボンの裾を濡らしながら全員が顔をそろえたときには、約束の時間に数分だけだが遅れてしまっていた。さきほど「雪ごときで」と言った担当者は、「定刻を過ぎていますので」とだけ前置きして、いきなり本題に突入！　注文の多い会議は、延々、深夜までつづいた。

　もちろん、ビジネスのシーンで集合時間を守るのは当たり前だし、無駄なトークは排除して効率良く打ち合わせを進めるべきだが、それでも、その日の特殊な事情に思いを馳せるコメントを冒頭に加えるくらいの配慮があっても良いのではないだろうか？

「お足元の悪いなか、お越しいただき、ありがとうございます」

「JRも地下鉄も間引き運転だそうで、みなさんタイヘンでしたよね」

「靴のなかにも雪が入ってしまったのではありませんか?」

集まったメンバーの10分前の姿を想像すれば、相手にかける言葉がなにかしら浮かんでくる。この5秒もかからない声かけで、それぞれの大雪のなかでの苦労がむくわれ、冷えきったカラダと会議室が温まる。

この、10分前の様子を想像する習慣が身につくと、こちらの事情を一方的に押しつけるのではなく、相手の不安や心配ごとに寄り添う気持ちが生まれる。

「昔ながらの住宅街なので、10人中8人は迷子になります」
これで、道に迷って遅刻した来客の気分が楽になる。
「まずは、熱いコーヒーをどうぞ! 寒かったでしょう!?」
これで、木枯らしのなかを歩いてきた疲れが吹き飛びます。

出発前の相手を想像する

前のページで「10分前の相手を想像する」ことを提案！ 来客の数分前の姿を想像できれば、「こんにちは」の後に加える言葉が見つかる、そのひとことが、相手の気持ちを温めるというものでした。

たとえば、急に降り出した雨。ビルの中で働いていると濡れることもないので、訪問客の様子にも鈍感になりがちだ。窓の外に目をやりながら、自分との商談のために駅から歩いている相手の姿が想像できれば、通りいっぺんの挨拶では済ませたくなくなる。

「傘は、お持ちでしたか？」「ズボンの裾が濡れましたね。いま、タオルを用意します」など、さまざまな声掛けが浮かんでくる。

この、数分前の相手の事情に思いを馳せる習慣は、身につけておくと良いと思うのだが、最近、もう少しさかのぼって、数時間前の相手のことも想像してほしいと願うことがあった。

ふたつの企業から、ほぼ同時に社員研修の依頼があり、その打ち合わせに来てほしいというメールが届いたのだが、その場所が、両社とも、都内の中心部にある本社ではなく、実際に研修を行う他県の支社や工場を指定するものだった。

電車での移動時間が2時間を超えることが分かった瞬間、（遠いなぁ〜、半日がかりだぁ〜）とため息をついてしまったのだが、両方に、同じような感情が湧きあがったわけではない。

まず1社目のメールには、日にちや時間、そして、事業所の住所などが、箇条書きのように記されている。そこに来るのが当然だと言わんばかりに列記されている。

もう1社は、本社に研修担当の者が常駐ではないという説明から入り、往復の時間を考えると半日を費やしてしまうので心苦しいと締めくくっている文面であった。

後者のように、相手の事情を察し、相手の気分に寄り添う言葉が入っているかどうかだけで、受け手の前に広がる景色は一変する。

移動中の自分に思いを馳せてくれる人がいる、長時間の移動を気遣ってくれる人がいると思いながら約束の場所に向かえば、おのずと足取りも軽くなります。

マスクの中に個性が埋没

〝マスク生活〟にはいって、まるまる1年になろうとしている。こんなにも口元をおおって外出する日々がつづくとは……。1年前の自分に知らせても、信じてはくれないだろう。

先日、信号待ちをしているとき、耳に飛び込んできたのは、若いサラリーマンふたりの会話だった。

「今朝、電車のなかでさぁ、マスクして目の化粧してる人見たよ」「オンナの人って、スゴイよね」

私も、ときどき見かけます。マスクから出ている部分にだけ、念入りにファンデーションを塗り、電車の揺れに負けないように脇を締めて、黒いリキッドタイプのアイラインを引く女性。手鏡で、綺麗に引けたかどうかチェックしている姿に、（お見事！）と音を立てない拍手を送っている。

人前での化粧というマナーの悪さは脇におき、まばたきや目の動きを強調しようとするのは、〝マスク生活〟がつづく以上、良い試みだと思うからです。

「そういえば、同僚の口元、社員食堂以外では見なくなりました。会議でも、相手が何を考えているのか分かりにくくなりましたね」

そう納得するのは、この連載の担当記者。私たちは、発言内容だけではなく、相手の表情からも多くの情報をキャッチしている。目に宿るチカラ強さや弱さ、クチビルの動き方と結び方、かすかな頬の上がり下がりから、本気度、不安や不満などの真意を受け取ろうとする。

それが、いま、マスクの下に80パーセントが隠れてしまい、相手を理解しにくいという危機的な状況になっているのだ。自分の発言を表情で後押しするためにも、目の動きを際立たせるアイメークは悪くないと思うのです。

〝マスク生活〟で、初対面の人の顔を覚えにくくなったという人もいます。1年前までは、「鼻のアナがふくらむクセがある」「クチビルの上にホクロ」といったように、顔のパーツを総動員させて認識してきたのに、いまは、目の情報しかない。

マスクをしていても、自分の個性は目に出ているだろうか。目の印象が弱いのなら、髪形や服装や装飾品に、ほかの人にはない特徴があるだろうか。こういうシミュレーションは、相手を困惑させないための〝新しい心遣い〟ではないでしょうか。

クチビルも〝筋トレ〟必要

もう十数年も前の話になるが、私が働いていた放送局で、「光栄」と「恐縮」を取り違えた後輩がいて、「そんな日本語を使うアナウンサーに、取らせる休みはない‼」という部長の怒鳴り声が、部屋中に響きわたったことがある。

20代半ばの女性アナウンサーの失敗談です。

ボーイフレンドからの誘いがあって、突然だけれど、明日は会社を休みたい。自分の仕事には支障をきたさないことも分かっている。部長の許可を取れれば、彼との心弾む一日が待っている。

彼女は上司の前に進み出て、「部長！」と声をかけた。ここまでは、怒鳴り声に続くような要因は見当たらない。

休みの申請が前日になったことへの反省から、「明日、お休みをいただけますか？」と言い出す前に、何かつけ加えるといいようなフレーズがある。部長に声をかけてから気をまわしたことが、大目玉につながるきっかけになる。

「恐縮ですが」「恐れ入りますが」「誠に申し訳ありませんが」「急な申し出で心苦しいの

ですが」、言いにくいことを切り出すとき、本題に入る前につけるといいフレーズはさまざまに用意されている。

それが、ひとつも出てこなかったのだ。

もう、部長は目の前にいる。自分で自分を窮地に追い込んだ彼女は、咄嗟に思いついたフレーズを見切り発車する。

「大変、光栄なんですが、明日、休みを取らせてください」

部長の顔は、短いあいだに3変化した。

(何か「光栄」なことがあっただろうか?)と疑問を呈する表情。「光栄」のあとに休みの申し出が続いたことに違和感を覚える顔。そして、アナウンサーなのに、その場にふさわしいフレーズを見つけられなかった部下への失望、あきれ返り、怒り! 目が三角につりあがった上司から、休日の許可はおりませんでした。

その後輩の姿から、私もひとつ学んだ。普段、使い慣れていないフレーズには、自主練習が必要だ。ひとりの時間に、何度も何度も、音にしてクチビルから出してみる。クチのまわりの筋肉に覚え込ませておく。このクチビルの〝筋トレ〟が、きっと、未来の自分を助けてくれます。

弱気なクチグセを退治！

コーヒーショップでひと休みしていると、となりのグループの会話がまるごと聞こえてきて、一緒に悩んだり、相談に乗ったりしてしまいそうになることがある。

テーブルが近いということもあるが、それ以上に、話の内容が具体的だったり、いきなり、会社名や個人名が飛び出したりするので、気がつくと、耳の感度を上げて聞き入っている。

先日も、会社の先輩からプロポーズされた同僚をうらやむ若い女性たちの会話に遭遇した。

「あの女は、どうやって、彼に振り向いてもらったんだろう」「彼女は、どうやって、好きになってもらったんだろう」

実際には、男女の実名が入っているやりとりなので、社内のあこがれの存在から好意を持たれたことが、うらやましくてたまらない様子が伝わってくる。

「私、どうしたら、男の人から声をかけてもらえるんだろう」「どうしたら、結婚してもらえるんだろう」

話の流れは、自分の身にも幸運が訪れないかしらというように変わっていくのだが、あまりにも〝待ち〟の姿勢の彼女たちに、私はイライラを募らせていた。

「どうやって」「どうしたら」と、「もらったんだろう」「もらえるんだろう」で動詞をはさんでいる発言ばかりで、そこからは、自らの手で、自分を〝選んでもらう〟という弱い立場に追いやっている日常が浮かんでくる。

ひと昔前に、「くれない症候群」という言葉がはやったのを覚えていますか?

「誰も、私に好意を持ってくれない」「誰も、結婚を申し込んでくれない」

言葉にも表情にも、不平不満をあらわにする人たちをさしていたが、そこにはまだ、「こんなに魅力的なのに」「ボーイフレンドは多いのに」という自分を支えるエネルギーがあった。

最近の「〇〇してもらえない」ことを思い悩む人には、その下支えがないように感じる。日々くり返される弱気なクチグセ、ひたすら受け身の姿勢、そして、自信のカケラもない発言は、自らの耳に届いて記憶され、さらに、自信の持てない自分を更新する。

まわりの人たちにとっても迷惑だ。会うたびに励まさなくてはならないのは面倒なものです。

人づきあいのつぼみ

同じことに接しても、
感じるものは人それぞれです

おしゃべりな顔&カラダ

大学生や高校生を前にして、「人生を切り開く話し方講座」と銘打った講義や授業をする機会にめぐまれ、ここ十数年のあいだ教壇に立ちつづけているが、まず初日、教壇からの眺めに目をみはったことを鮮やかに覚えている。ひとりひとりの顔や服装はもちろんのこと、それぞれの机の上の様子までもが、つぶさに私の視界に入ってくるのだ。

これでは、屏風のように立てた教科書のかげで早弁やイタズラ書きをしている生徒が、先生の目に入らないはずがない。私自身も、受験が目の前にせまった高校3年のいまごろ、前の席のクラスメートの背中に隠れて、ほかの教科の勉強をしていたことを覚えているが、教壇の先生からはすべてお見通しであったことが40年以上たって判明！　当時の先生を失望させていたのではないかと大きな反省をした。

教壇からの眺めの良さにひとしきり感心したあとの目に飛び込んできたのは、ひとりひとりの私に向かう姿勢の違いだった。

出席と短いリポートで単位をもらえるから来ただけだと露骨に分かる無気力な座り方をしている人もいれば、ペンを構えて前に乗り出した上半身で、これから始まる講義への期待感をかもし出している人もいる。

話し方講座が進行しているあいだも、何の項目のときに、そのペンがノートの上で活動したか。何を話したときに、消極的な参加だった人の目に突然チカラがみなぎって大きくうなずくようになったかなどが、教壇からは丸見え！　言葉は交わしあわずとも、相手の気持ちとその変化をキャッチできるのだ。

講義や授業のほかにも、誰かが前に立って一方的に話し、その人以外は終始聞き手になるというシーンがある。講演会や新しい仕事の研修、結婚披露宴での長い主賓のあいさつ、朝の社長のさらに長い訓示など。聞いているだけで言葉を発していないので、相手には何ひとつ自分の情報は伝わっていないと思い込みがちだが、実は、顔の表情やカラダの動きが、あなたの気分を勝手に伝えているのです。野放しにしないように気をつけましょう。

大人数から〝味方〟を探す

大人数の前でスピーチをするときや、ステージの真ん中でマイクを手にするときに、昔から、気分が落ち着くと言われている〝おまじない〟がある。

「客席は、カボチャ畑だと思えばいい。人が座っているわけではない。カボチャがゴロゴロ転がっているだけだ」

「手のひらに、人という字を3回書いて、それを飲み込んでから舞台に出ると緊張しない。会場の空気に飲まれることがない」

ほかにも、「四股を踏む」「アマリリスと、大きな声で20回叫ぶ」など、〝おまじない〟の数は多く存在する。

そのなかで、カボチャ畑だと思い込むのは、話を聞こうとしている相手に失礼このうえない。さらに、まばたきする目と拍手で動く手を無視して、農作物だと思い込むのは難しいと常々感じていた。

むしろ、ひとりひとりと目を合わせるくらいのつもりで会場を見渡す。司会者から、肩書や経歴などを紹介されている時間は、案外長い。会場に目を配っていると、身を乗り出して話を聞く姿勢がすでにできている人、柔らかい笑顔でウエルカムの気持ちをあらわしている人、司会者にうながされたからではない自発的な温かい拍手を送ってくれている人を発見する。

ひとりでいい。

大人数の中から、自分の登場に好意的な人、いわゆる〝味方〟を探し出せれば、その人を中心にして会場のすみずみまで顔を向けることができる。途中で、口をへの字に曲げている人や腕組みしている人に出くわしても、視線を戻す場所があるから心強い。

第一声も、その人に向かって話し始めればいいので、声の大きさでも話し方でも、自分らしさを発揮してスタートできる。そして、その〝味方〟からは、大きなうなずきなり返事なりでリアクションをもらうことができるので、さらに落ち着いて話を展開していける。

これは、講演会や研修に招かれた私が、実際に行っていること。経験をいくら重ねても、その日の客席とは初対面！　一体感のあるライブになるかどうかを考えると、緊張とは無縁でいられなくなる。

そして、ひとつだけ、舞台の袖で、緊張から自分を解き放つ〝おまじない〟を実施する。それは、「鼻から息を吸って、口から吐く」こと。間違えて、口から吸うと、かえって緊張を高めてしまうので、要注意です。

「沈黙」のチカラを借りる

春3月の声を聞くと、急に多くなるもののひとつに、結婚式と結婚披露宴への出席がある。実は、この日も正午から、フラメンコのレッスンを通して知り合った女性の結婚披露宴に出席。ごちそうを食べながら司会をつとめ、キャンドルサービスのあとにフラメンコを披露する新婦のバックで踊りにも加わる予定です。

アナウンサーを生業《なりわい》にしていると司会を頼まれることが多いが、頼まれる私のほうも、親しい友人の大切な日に深くかかわれるので、会場の下見から、余興の練習まで、積極的に参加している。

さまざまな祝賀会や、創立記念パーティーなどの司会も担当することがあるが、それらと結婚披露宴の進行には、ひとつの大きな違いがあることにお気づきでしょうか？

主催者や来賓のあいさつのあと乾杯をすると、そのままお開きまで宴会になる催しものが多いなか、結婚披露宴だけは、途中からまたセレモニーに戻るのです。

お酒と料理でご機嫌になった列席者と、新郎新婦の友人たちが余興で盛りあげた空気を、一瞬にして、新婦が両親へ感謝の言葉を贈るのにふさわしい厳かな雰囲気に切り替え

ることができるかどうか。そこが、司会者の技量を問われるポイントであり、100回近く経験しても慣れることがない緊張の瞬間なのだ。

顔の表情、立ち姿、声のトーン、言葉選び、そのすべての居住まいを正して、（宴会は、ここまで！　新郎新婦とご両親にスポットライトをあてる時間です。みなさん、ご注目ください）というメッセージを雰囲気で伝えるのだが、それを確実なものにするために、冒頭に「沈黙」のチカラを借りている。

ただ口を閉じているわけでない。会場を見渡しながら、ほんの1～2秒の「間」を取ってみる。人の耳は、それまで話し続けていた者が黙ることに敏感に反応する。参列者のおおかたの目と耳が、高砂の席に集まったところで、新婦から両親にあてた手紙の披露、花束贈呈へと歩を進めていく。

上手に使えば、「沈黙」という声なき言葉は、大きなチカラを持っています。

息つぎ楽々スピーチ原稿

「このあと、弊社の社長をご指名いただくと思いますが、こちらが、あいさつの内容です」

祝賀会や懇親会での司会をつとめていると、主催者や来賓が用意しているスピーチの原稿を、その秘書の方が司会台に置きにくることがある。

どんな話題が盛り込まれているのか、どんな言葉で締めくくるのか、分かっていたほうが進行しやすいのではないかという配慮を感じることもあるが、なかには、こんなことを耳打ちする人もいる。

「ウチの社長、原稿通りにスピーチしないことが多いんですよ。抜かしたところをフォローしてくださいね」

これは、時として、難しい注文です。

その企業の業績や新製品の紹介といった情報は、あいさつの後のお礼の言葉につけ加えても自然に聞こえる。しかし、社長の心情をあらわす部分を、司会者が口にするのは出過ぎた行為だと思うので、秘書の方の期待に添うようなフォローをできないことが多いのです。

そして、社長が原稿を端折ってスピーチをするとき、原因の半分は、フリートークが好き、〝当意即妙〟に自信を持っているなど、その社長のキャラクターにあるが、残りの要因は、読みにくい原稿にもあるように感じる。

各行とも、横幅いっぱいに文字が並んでいて、一瞥しただけで、読むのが面倒くさそうな文章を目にすることも多い。文字があまりにも大きいためにプリントの枚数がかさみ、その紙をめくる音がガサガサと耳に障ったこともある。

息つぎをするあたりで改行する。行を変えたあとの書き出しを、横書きなら右、縦書きなら下にずらして、視線がスムーズに流れるようにするなど、原稿には、さまざまな工夫のポイントがある。

人それぞれの好みもあって、私は、自分で書いた文章は、横書きのほうが読みやすいが、ほかの人が書いたものは、縦のほうが目で追いやすい。

さらに、本人にとって認識しやすい文字の大きさも、かならず存在する。読みにくそうな漢字に添えるふりがなは、ひらがながいいのか、カタカナがいいのか。一度、社長の好みを聞いてみてもいいのではないでしょうか？

挨拶に添える「ひとこと」

結婚披露宴をはじめ、企業の創立記念日の式典や、晴れの受賞の祝賀会などの司会をおおせつかることがあるが、「ご指名を受けたので、ひとことご挨拶を」と切り出しながら、決して「ひとこと」では終わらないタイプのオジサマは本当に多い。オバサマもときどきいる。

いままでに直接目撃した最長不倒記録は、新郎側の主賓が1時間の祝辞、新婦側の主賓がそれに対抗して1時間！　乾杯を終えたころには、もう1組分の披露宴の時間を使い切っていて、ホテルのスタッフが青ざめていた。しかも、あきれ返るほど長いスピーチをしながらも、「簡単ではございますが、お祝いのごあいさつとさせていただきます」と言って締めくくったので、所要時間を発表しようかと思ったくらいだ。

もう、こうなってくると、話の中身はまったく記憶に残らない。ひたすら覚えているのは、長かったこと‼　司会者は、立ったままなので、ハイヒールの足が痛い。列席者は、のどが渇く、おなかが減る。もしかしたら、心温まるエピソードが織り込まれていたのかもしれないが、「バランス感覚のない自分勝手な人」という低い評価がくだってしまいます。

これは、私たちの日常生活でも起こりえること。特に、クチから先に生まれたような私などは、注意が必要だ。道路や駅のホーム、そして、オフィスの廊下でのすれ違いざま、用件を終えたあとの去りぎわ、自己紹介のコメント、初対面での挨拶など、「ひとこと」で済ませることに力点を置いたほうがいい場面は数多く存在する。

たとえば、名刺交換のシーンで、以前から会いたかったという発言には相手も笑顔を浮かべるが、会いたかった理由を延々語られると、今度は、「話が長い」ということのほうに注意が向けられる。そういうときのために考えておくといいのが、さまざまな場面に添える「ひとこと」。みじかい表現で自分の気持ちをあらわす用意があれば、「空気を読めないダメな人」とレッテルを貼られることもありません。

相手を不快にさせる「音」

「粘膜が作り出す音は、相手を不愉快にさせる」と常々感じているのだが、つい最近も、「チッ」という舌打ちを聞いてしまい、そのあと半日ほど、気分の悪さを払拭できずにいた。

長年加入している生命保険会社の若手社員から、加齢にともなう保障に重点を置いた入院保険をすすめる電話があったのだが、すでに、ほかの会社の同じような内容のものを契約していた。そのことを話したら、「チッ」という舌打ちを残して電話を切られたのだ。

おそらく相手は、受話器を耳から離して、通話を終えたという認識だったと思うが、最近の電話は感度が良い。小さな音も、遠くの音もひろってしまうので、私の耳に、歯の裏側や歯茎を、舌の先端で弾く音が届いてしまったわけです。

相手を不快にさせる「音」は、ほかにも、あちらこちらから吹き出している。

食べものを咀嚼するクチャクチャ、満腹のあとのゲップ、すすりあげる鼻水、鼻をかむ音もそうだ。そして、音のあとに臭いの被害も広がるオナラ……。どれひとつ取っても、「その音、好き！」というものはない。

もうひとつ、粘膜から漏れ出る音で、聞こえないほうがいいのが、リップノイズ！　細かいことなのだが、閉じていたクチビルを上下に離すときに、わずかながら、粘り気のある音が出る。

このリップノイズ、普段は気にならない程度のものだが、静まりかえった会議室などで口火を切るときに立てると、結構、目立つもの。さらに、マイクを握って話し始めるような場面では、感度のいい機械が、その「ペッ」や「ベチャ」という微小な音をスピーカーに乗せて拡大してしまうので、予防しておくことをおすすめしたい。

私が実践しているのは、笑顔でスタンバイすることです。

毎日の生放送に出演していたころも、すこしクチビルを開け、口角をあげて、ディレクターからの放送開始の合図（キュー）を待っていた。すでに、離れている位置からクチビルが動き始めるので、雑音はカットできる。

ただし、笑顔でのスタンバイは、誤解されることもある。

「オマタさぁ〜、絶対、オレに気がある」「オレのことを、キュルキュルした目で見るんだよぉ〜」

話しながら曖昧に笑う人

ときどき夕ごはんを食べにいくレストランで、スタッフ全員が同じ、ひとつのクセを持っていることに気がついた。それは、「話しながら曖昧に笑う」こと。受付のスタッフも、料理を運ぶスタッフも、「えへへ」「あはは」と小さく笑いながら接客をしているのだ。

「いらっしゃいませぇへへへ」

「オマタさまぁははは、お席にご案内しますぅふふふ」

文字に起こすのが難しいのだが、ところどころに、気の抜けた笑い声がはさまれる。ひと通り話し終えて笑顔になるタイミングで、「ぅふふ」「ぁはは」と漏れ出ている感じなのだ。ハッキリと声高らかに笑うわけではなく、「いらっしゃいませ」で止まりそこなって、フラフラと蛇行しながら「ぇへへ」と照れ笑いをしているように受け取れる。

一度気になってしまうと、相手の言葉より、不自然な笑い声ばかりが耳に入ってくる。料理を運んできたときも、「シェフ自慢の料理なんでぇへへへ、お召しあがりください」。空気が抜けていくような笑い声のために、その素材からも火入れ具合からも盛りつけからも、魅力が薄れていく。せっかくのシェフ渾身の料理にもかかわらず、ガツガツ食べるぞぉ

～という意気込みも、しぼんだ風船のようになってしまった。

話しながら曖昧に笑う人には、そののち、接客ビジネス以外でも、ひんぱんにお目にかかるようになった。

「オマタさんと話してるときってぇへへへ、ほほほぉ～ントに楽しくてぇ～※※※※なんですぅふふふ」

ほめてもらっているようだが、肝心の部分が聞き取れない。

どうして、話しながら笑うのだろう？　加齢にともなうものだと言い切る人もいる。緊張のあまり、意に反してヘラヘラ笑ってしまうタイプもいると聞く。親近感をかもし出したくて、笑いながら言葉をつなげていくのが習い性になっている人もいるようだ。
いずれにしろ、それを、どう受け取るかについては、笑っている側ではなく、曖昧に笑いかけられているほうに決定権がある。なかにはバカにされているようで不快になる人もいる。注意してくれる人はめったにいないので、話しかけた相手の表情を、ときどき観察したほうがいいですね。

快・不快は他人《ひと》が決める

電車がホームに滑り込んでくる。左右に目を配りながら乗り込んで、空いている座席があると突進する。そして、運良く座れて10秒後、もっと早いかもしれない、5秒後には、携帯電話を取り出して操作し始める。いまや、当たり前の光景になっています。

それと同時に、ささやかながら不愉快なことが起こっているのだが、（気にしてるのは、私だけ？「話題のつぼみ」に書くと、被害妄想のオバサンみたいかなぁ〜）と迷いつづけていた。しかし、きのう、またもや同じ〝振動〟に遭遇！　やはり書こうと心を固めた次第です。

それは、となりに座った人が携帯電話の操作をしていると、その人のヒジから伝わってくる〝振動〟だ。座高の高さの違いで、ヒジの当たる位置は、二の腕であったり、ちょうどヒジそのものであったりするのだが、もっとも気持ち悪いのが、腰のあたり！軟らかい部分だ。横顔を見上げると、本人は指だけを動かしているつもりのようで、腕もコンパクトに折りたたまれているのだが、指と連動してヒジも動いていることに気がついていない。こんなことでイライラするのは、私だけでしょうか？

さらに、電車の中のみならず、街角でも目につくのが、視線が合ってもそらさない人、もちろん、見知らぬ人です。ぶしつけな感じがする。しばらく経っても、相変わらず、目をそらしていない。気持ち悪い。とても不快な気分になったそのとき、耳のあたりに垂れさがっている白く細いモノを発見して合点がいく、（あぁ〜音楽を聴いていて、別に、私のことをジットリ見ているわけではないんだ）と。

アナウンサー時代に、先輩から言われた言葉を思い出す。

「その場が、心地よいものだったか、不快なものだったかは、相手が感じるものだろう」

雑誌のインタビューで、「別れぎわに皮肉な笑いを浮かべたオマタさん」と書かれたことがあるのだ。「どうすれば良かったんですか」と涙目になって聞き返す私に、先輩はこう答えてくれた。

「快・不快を決めるのは、相手。他人が決めるもので、自分のほうに主導権はない。最善を尽くしても、不快に思われることはある。それを理解していると、気持ちの整理ができる」

モノサシは1本ではない

その夜の前菜は、「シュリンプカクテル」だった。

60も半ばを過ぎると、夕暮れどきや、トーンダウンしたレストランの照明のもとでは、メニューの細かい字がクリアに見えない。その日も、眉間にシワを寄せ、目を細めて、「シュ……シュかしら?」と戸惑っていたら、同席していた30歳前後の女性が、「シュリンプって書いてあるんですよ」と親切に教えてくれた。

ここで止まっていたら、本当に感謝以外のなにものでもなかったのだが、続くひとことが、それを台無しにする。

「シュリンプって書いてあるんですよ、海老のことですね!」

高齢者や幼い子どもたちに対して、噛んで含めるように説明をする人がいるが、まさしく、彼女もそういう口調で、私はすっかり、横文字を理解できないおばあちゃん扱いされてしまった。

「シュリンプが読みにくかっただけで、海老なのは知っているわ」と、小さくつぶやいてはみたものの、彼女の耳には届かなかったようで、さらに重ねて、「真ん中にある赤いソースをつけて食べるんですよ」というご指導まで受けてしまった。

始まったばかりの会食の席で、なごやかな空気を凍らせるわけにはいかない。チカラを込めてクチビルの両端をあげ、笑顔のオマタさんになる。

眉と眉のあいだに深く刻まれたシワや、マブタを下げて細くした目から読み取れるものは、ひとつではない。

字そのものが読みにくい、老眼なのかもしれない。字は読めても意味がわからない。意味がわかっても苦手な食材だ。じつは、急な頭痛におそわれている。同席したくない人がいて困惑している……。数パターンの状況を想像してみるだけでも、初めに浮かんだことを正解だと思い込むのは危険だと、あらためて確信する。

私たちは、自分の感じていることが、もっとも正しくて、自分のやり方が一番マトを射ていると思い込みがち。（ねっ、アナタは、○○なんでしょう⁉）といった強い調子で、自分の見解や知識を押しつけるのは、相手の心に、わざわざ「反感」のタネを植えにいくようなものです。

そんなことを思いながら前菜やスープを口に運んでいたら、今度は、魚料理「サーモンのムニエル」が配られ始めた。くだんの女性が私に顔を向ける。

「サーモンは、鮭のことですね」

「元気を与える」に違和感

年を重ねるにつれて情報が減ってくるものに、はやり言葉や若者言葉がある。使うためにではなく、耳にしたときに理解できるように知っておきたい。〝時〟の移り変わりの一面なので、敏感でありたいとも思っている。

女子高生の使う「ゲロかわ」や「マ？」のように、キレイとは言えない発音や、そこまで短くしなくてもと首をかしげる略語もある。しかし、数年に一度は、言い得て妙だなと感心する表現も登場！　もうすっかり普段使いの言いまわしになっているが、「上から目線」もそのひとつだ。

同窓会の打ち合わせやマンションの管理組合などで、他人の意見をことごとく否定する人を見かけると、以前は、（どれだけ自分に自信を持っているんだろう。相手を見下すような言い方は、言われた本人だけではなく、まわりにいる私たちまで気分が悪くなるのに）と心の中で長々と呟いていたが、いまは、「上から目線」のひとことで済むようになった。

じつは、東日本大震災に見舞われたあたりから、この発言は「上から目線」だなぁ～と感じつづけているものがあったのだが、いままで、このような公の場で言うことに腰が引けていた。意気地なしの私。

それは、スポーツ選手の優勝インタビューや俳優さんの舞台あいさつにたびたび登場していた。「被災地のみなさんに元気を与えることができたと思います」「東北地方に勇気を与える映画です」の『与える』という言葉選びに違和感を抱いていたのだ。

いまでも耳にすることはあるが、ここのところ、「元気を届けられたらうれしい」「みなさんと一緒に喜びたい」というように、工夫した表

現をする人が増えてきたので胸をなでおろしている。
そもそも、スポーツも芸能も、過酷な練習や自分を追い込んだ稽古の結果が、グラウンドや舞台の上に大輪の花を咲かせるのを見て、私たちはすでに感動している。元気を受け取って、勇気をくみ取って、明日からの励みとする。
だから、試合のあとやあいさつの場面では、さまざまな状況に気を配ることも大切かもしれないけれど、もっと、興奮に身を任せたり、自分の才能を讃えたりしてもいいのではないかと思っています。

「ほうれんそうジュース」

上司や先輩への「報告」「連絡」「相談」、いわゆる「ほうれんそう」をおこたると、社内の透明化や、仕事の円滑な進行がそこなわれると言われている。いまから30年ほど前に、証券会社の社長の提唱に端を発している言葉だが、最近、「ほうれんそう」は大事なことだけれど、それだけでは、受け身すぎる後輩を作りつづけるだけだという反省も生まれている。

取引先から戻った若者が、先方の要望を詳しく話して、どう対処したらいいのか質問する。そこで、「アナタの考えは?」と水を向けると、驚いた表情で、目が開き、首を後ろから引っぱられたように、顔が遠ざかる。「考えと言われましても……」の小声のあとは、上司がクチを開くまでの沈黙がつづく。

数日前も、年末年始の休暇明けのオフィスで、後輩を叱責せざるをえなかった知人から、こんな話を聞きました。

「ウチのような小さな会社は、年末年始も交代で働かなくちゃならないのね。私は、後半の土日をはさんだ4日間を休んだんだけどね」

休暇にはいる前に、会社宛てに届くメールのなかで、必要と思われる書類があったらダウンロードしておくように頼んでおいた。ところが、5日ぶりに出勤してみると、なにひとつダウンロードされていない。理由を聞くと、どれが必要なのか、どれが必要ないのか分からなかったので、手をつけなかったという答えであった。

「最大の取引先からの書類もあったんだけど、それが、ダウンロードできる期限が3日間で、もう入手できなかったの」

新年早々、大きな会社に恥を忍んで再送信の依頼をしたあと、私に問いかけられたのが、「ほうれんそう＋α」を考えてほしいというものだった。

求められているのは、「自分で考える」ということなので、「ほうれんそう缶」はどうかと、さっそく提案したら、「ポパイを知っている人にはいいかもしれないけど」と難色をしめされた。

翌日、「熟考」に、仕事を前に「進める」をプラスして、「ほうれんそうジュース」はどうかとメールしたところ、「ウチの会社の新たな心構えにするわ」と採用された。

あなたのオフィスでも、「ほうれんそうジュース」のススメ、使っていただけますか？

他人《ひと》は思うほど働かない

「他人は、コチラが思うほど、働かないものなのよ」

入社したばかりの私の教育担当だった先輩が、ため息をつきながら言い放ったひとこと。40年を超える遠い昔の発言だが、妙に耳の奥に残っている。

その当時の先輩の嘆きは、出演していた番組のリポーター陣に向けられたもの。前の日には中継場所が決まっているのに、「知識のないまま現場に向かっている」「勉強が足りない！」。まわりの様子を言葉に変えるときも、「同じ表現を何度も使う」「語彙が少ない！」。厳しい指摘がつづいていたが、それもこれも、自分が率いている番組の質を落とさないための責任者の姿勢であった。

やがて私にも、先輩の番組にリポートを入れる仕事がまわってくる。数回の中継を終えたところで、「やはり私も、先輩が思うほど、働いてないでしょうか？」と、恐る恐る聞いてみた。

「経験不足は否めないけれど、一生懸命さは評価できるわ、でもね……」

この「でもね」には、緊張を与えるチカラがあった。先輩の目の奥がキラリと光ったように感じたからだ。

「でもね、必死さが通用するのは、今のうちだけよ」

このとき、知識でも技術でも経験でもかなわない人を前にしたら、同じ土俵では、まだ勝負できない。懸命に働くことや必死に取り組むことでしか評価される道はないと知った。

それと同時に、私が新人の域を脱したら、後輩や部下のガンバリにも目を配る年長者になりたいと思ったものです。

最近、有名な飲食業のチェーン店が行っている新入社員の研修方法を耳にした。社員であるがゆえに、いきなり、店舗のチーフを任せられるのだが、そこには、年齢もキャリアも知識も技もはるかに上を行くパートやアルバイトの人ばかりが待ち受けている。

「社員であるボクが、本社の意向を伝えても、だれも動いてくれない」などと嘆いても反感を集めるだけだ。「積極的に質問をする、熱心にメモを取る、とにかく、一生懸命だから応援したくなる」と受け入れてもらえる日まで、ひたむきに働くことを学ぶ研修だそうです。

人のことは性格のせい?!

耳にした話や、目にした文章のなかから、覚えておきたい言葉を発見！　両手で、掬いあげて大切にしています。

そのひとつに、「人のことは性格のせい、自分のことは事情のせい」にしてしまいがちというフレーズがある。

これは、だから改めなさいと注意するものではない。私たちには、そういう傾向があるということを認識するだけで、人の言動を不快に感じたり、疑問を呈したり、腹を立てたりすることが激減すると穏やかに教えてくれているのです。

その典型的なシーンは、遅刻！　多くの人が時間通りに集合しているのに、ひとりだけ、到着が遅れている。そこに、遅刻の言い訳をする電話なりメールなりが届いた場面を想像してみてください。

「車が事故渋滞に巻き込まれてしまいました」

「車両トラブルで、乗っている電車が動きません」

「朝一番の会議が長引いています。取引先の社長の話が、終わりそうで終わらないんです」

遅れている人は、時間を守りたい自分に、突然ふりかかってきた不運なできごとを報告してくる。

ところが、その連絡を受けた人たちは、それを鵜呑みにはしない。

「どうせ、寝坊だろ‼」

「いつものように、忘れ物でもして、取りに戻ったんじゃないか?!」

「この仕事のこと、軽く見ていたに違いない」

その人の性格に起因する遅刻だと決めつけて、険しい顔つきになる。不信感を募らせます。

遅刻は、「人のことは性格のせい、自分のことは事情のせい」が起こりがちなシーン。自分には非がないという言い訳を聞いたとき、相手の日頃の言動から推しはかってネガティブな評価をしそうになったとき、「人のことは性格のせい」どおりに事が進んでいると冷静に眺めることができれば、気分が波立つこともない。必要以上のイライラムカムカをおさえることができる。

もうひとつ歩を進めて、人のことは性格のせいにしない、自分のことは事情のせいにしない習慣を身につければ、途方に暮れている相手に思いを馳せたり、みずから時間管理の難点を認めたり、幅のある大人の対応をすることができるのではないでしょうか。

カチンとくる「クチグセ」

同僚や家族など接触回数の多い人の「クチグセ」にカチンとくる。クチグセだと分かっていても、苛立ちを覚える。あっけなく不愉快になってしまうことがあります。

思い出すのは、昔の上司のクチグセで、「ついでに」。

私が、なんらかの用を足そうと立ち上がった瞬間、狙いすましたように、「ついでに」と声をかけられるのだ。

「オマタくん、ついでに、これを掲示板に貼ってくれないか」

「総務に行くんなら、ついでに、この書類も出しておいてくれ」

度重なるから耳に障るのか。気分を削ぐタイミングだから腹が立つのか。もしくは、密かに抱いている苦手意識が噴出してしまうのか。

すべての要素が後押ししているのかもしれないが、この人の「ついでに」を聞くと、私の気持ちが、瞬時に、ダークサイドに足を踏みいれる、性格が悪くなるのを感じていた。

「ついでに」の元々の意味は、決して、悪いものではない。相手の負担にならないように使うときもある。

「わざわざ届けにきてくださったんですか⁉」

「いいえ、近くに来る用事があって、ついでにおじゃましただけですから」

大人の気遣いがにじみ出るやりとりです。

「ダ・カ・ラ！」の連発が、たまらなく嫌で、耳をふさぎたくなるという友人もいる。

2度目の説明を同じ相手にもとめたときに、「さっきも同じことを言ったでしょ！」くらいの発言は覚悟しているのだが、「ダ・カ・ラ！」と吐き捨てるように言われるとカチンとくる。

一度の説明で飲み込めなかった自分に落ち度はあるものの、押しつけるように発せられる「ラ！」に込められた蔑《さげす》みに心が折れるという。

ここのところ、もうひとつ気になっているのが、「相槌を5回打つ人」だ。テレビ番組でも、街角でも駅のホームでも、ひんぱんに耳にする。

「そうそうそうそうそう、私も同感！」「はいはいはいはいはいはい、今日中に見積書をお届けしますので、はい」

いまさら驚くことでもないのだろうか？「はいはい」と2回重ねただけで、「返事は、1回！」と叱られたのは、古き良き昭和のころの昔話なのでしょうか。

原稿を音読する習慣

この山梨日日新聞の連載をはじめ、すべての原稿は、メールに添付して送信する直前に、声に出して読むようにしています。

それも、かなりの大声で、放送中のマイクに向かっているような気分で、手ぶり身ぶりもまじえて読んでいる。

黙読だけの危うさに何度も身をさらし、そのたびに恥ずかしい思いをして身についた習慣。とくに危険なワナは、主に3カ所に仕掛けられている。

自分にとって馴染みのあるものと似ている単語に、ひとつめが身をひそめている。

「カヤバ工業」という会社が、番組のスポンサーに名を連ねた初日のこと。台本を見た瞬間、「カバヤキャラメル」と同じ名前だと信じて疑わない目になってしまった。懐かしい「おまけ箱」の乗った真っ赤なパッケージが、頭のなかいっぱいに広がっている。

「この時間は、カバヤ工業の提供でお送りします」

生放送のスタジオで会社名を読みあげた瞬間、自分の耳が不自然さをチャッチする。

(どうしよう‼　スポンサーを降板されてしまうかも！)

いったん声に出してしまった数秒前は、どんなに望んでも、〝なかったこと〟にはできない。お詫びと反省の時間が待っていました。

内容を理解できているから、間違いなく音読できるだろうと油断する気持ちも、読み間違いにつながっていく。

「今日の特集では、日本の政治のウラメンシに迫ります」

いまでも笑い話に出される私の失敗は、「裏面史（りめんし）」！　始めの一文字を勝手にクチビルが動いて、「ウラ」という音にしてしまったのだが、台本に目を通しているときは、（私たちが知り得ないようなエピソードが聞けるんだわ）と楽しみにしていた。それでも、「ウラメンシ」と口にした途端、知識のない人と笑われてしまう。

さらに、黙読だけの危険は、著作物の校正にも身を隠している。

本として出版するまでには何度も何度も読み返している原稿なのに、自分の名前の「オマタ」が「オタマ」と印字されていることを見逃していたことがある。判明したのは、購入された方からの指摘だった。

「最近、キッチン用品になったんですか？」

お箸の持ち方教えます

テレビ局に寄せられる苦言のなかに、「箸を正しく持てない人のグルメレポートは見たくない」「ヘンな箸の持ち方をする人は番組に出さないでほしい」など、箸の持ち方についての電話やメールがあり、その数は決して少なくない。

「不自由でも不便でもない、余計なおせっかいだ。大豆だってチャンと挟めるんだから！」

間違ったカタチで箸を持っているタレントのなかには開き直る人もいるが、実際、2本の箸をグーで握って、フォークのように食べ物に突き刺して使っていたベテラン歌手が、視聴者からのお叱りを受けて懸命に矯正した例も私は知っている。

茶わんの持ち方や咀嚼の音など、ほかにもチェックポイントはあると思うのに、とりわけ、箸の持ち方にだけ厳しい視線が注がれるのは、何故なのだろうか？

「箸をキチンと使えない人を見ると、不愉快になる人が多いんです。まわりの人に不愉快な思いをさせないというのが食事のマナーですから、箸は正しく持てたほうがいいですね」

『お箸の持ち方、教えます』の看板を、銀座の西五番街に出している箸の専門店「銀座夏野」の店長さんが、この疑問に答えてくださった。

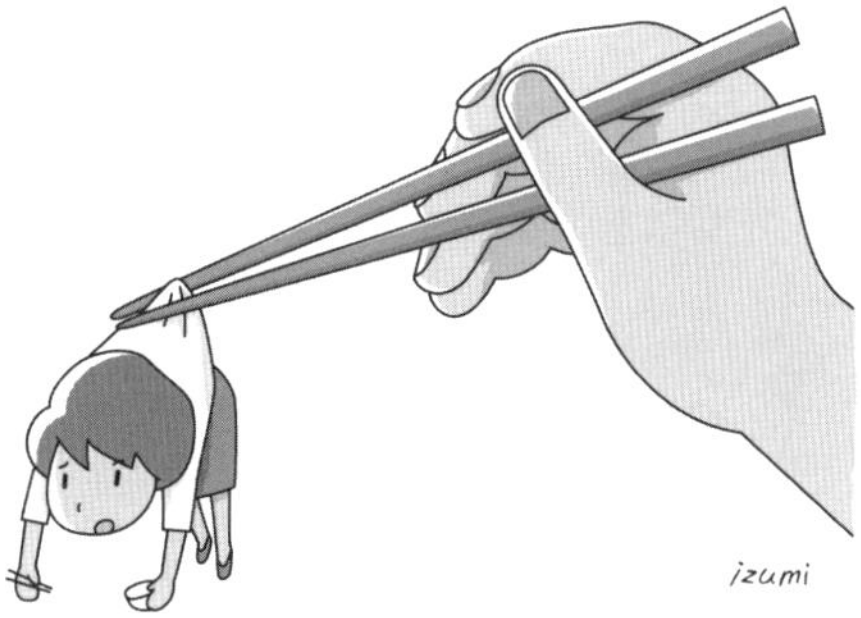

取引先と会食をした翌朝、上司から、「キミの箸の持ち方を見て、先方が眉をひそめていた。もう、接待の場に同席しなくていい」と言い渡され、途方に暮れながら歩いているときに看板を見つけた営業マン。「大人になってからでも直せますか?」と言いながら飛び込んできたという。「もうすぐ、彼の両親と初めて会って食事をするんですけど、いまのままの箸の持ち方では、結婚を許してもらえない」と、涙目になりながら来店する若い女性。こちらの数は、思いのほか多いという。

あやまった箸の持ち方にばかり視線が集中し、話の内容に耳をかたむけてもらえないのは残念だ。箸の持ち方がヘンだということで印象が良くないほうに決まってしまい、その人本来の長所や美点に気づいてもらえないのは悲しい。

いま、私の頭のなかの「言葉以外のコミュニケーション」の引き出しに、「箸を正しく持つこと」を追加保存したところです。

人生ゴムバンドと金平糖

ここのところ、狙いすました発言ではないのに、相手がポンと膝を打ってくれることがつづき、驚いたり、気恥ずかしい思いをしたりしている。

驚いたのは、京都にある金平糖の専門店の映像を友人とふたりで見ていたときのことだった。

斜めにセッティングされ、ゆっくりまわる大釜のなかで、無数の金平糖が上りつめては転がり落ちている。核になっているのは、もち米を砕いた小さい粒なのだが、熱せられた釜の斜面を、蜜をかけられながら転がりつづけている2週間のあいだに、ひとつとして同じ形のない、数もそれぞれ違うツノを生やした姿になっていく。

「私たちって、金平糖みたいなものかしらね、生まれたときは似たり寄ったりでも、どんな蜜をかけられるのか、それが、どんな形に固まるのか……」

このあたりまで、つぶやいたところに、妙に興奮した友人が割ってはいる。

「マサコさん、その通りよ！　となりの金平糖にぶつかって、ツノが折れたり曲がったり、まるまる太ったものもあれば、尖ったツノだらけのものもある。あぁ～人生って、金平糖なのかぁ〜!!」

胸の前で手を合わせて感激する様子に、つぶやいただけの私がビックリした。

気恥ずかしい思いをしたのは、先週のこと。講演を終えたあとの質問コーナーだった。

「不惑の年を迎えても、なにひとつ確固たるものを持てなくて悩んでいます」

人生相談に乗れるほどの技量を持ち合わせていない私は、かつて、ノンフィクション作家の山根一眞さんから聞いた「人生ゴムバンド説」をおぼろげながらに披露した。

「四十にして惑わずと言った孔子の人生は72年と6カ月だったと伝えられているので、それをゴムバンドに書いて、いまの平均寿命の女性86歳、男性83歳まで伸ばしてみるといいんですって！　そうすると、不惑は48歳くらいになるので、アナタはまだまだ模索中でいいんですよ」

この話に、会場を埋めた人が次から次へと膝を打つ。ポンポンポーンという音が会場いっぱいに鳴り響くほどで、「他人のフンドシ」で相撲を取った私は、早く、自前のフンドシを用意しなくてはと、恥じ入るばかりでした。

あとがき

日曜日の夜、重さを増すマブタと戦うのはやめよう、素直にパジャマに着替えようと立ちあがり、テレビの電源を切ろうとした瞬間だった。

「語彙は、67歳にピークを迎える」

この発言と、同時に流れたテロップで、一気に目が覚めた。たったひとことから、渦巻くエネルギーを受けとったのです。

大袈裟に聞こえるかもしれないが、60歳を過ぎて、なにもかもが下降線をたどるなか、まだまだ伸ばせる能力があると太鼓判を押されたような気がして、アタマの中の細胞がポンポンを振りながら踊りだしたのです。

しかし、小躍《こおど》りしているだけでは、語彙は豊かにならない。

幸いなことに、いま、大学生を前に授業をしていると、自分の語彙を試される瞬間があるので、時間をかけて準備をしている。もっとも適切だと思われる表現を考える、自分のアタマの中になければ調べて用意する。さらなる説明が必要になったときのために、同義語のバリエーション、具体的なエピソードにまで準備の枠を広げる。

それでも、足りないことがある。理解や納得を示さない表情、椅子の背もたれに体をあずける姿勢など。以前なら、自分の語彙に限界を感じて落胆する場面なのだが、「語彙は、67歳にピークを迎える」を小耳にはさんでからは、(いまがホント~に絶頂期なら、もっと分かりやすい言い方、もっと好奇心を刺激する表現が、脳のどこかに保存されているはずだ)と模索することを諦《あきら》めない。

この諦めの悪さが、言葉を変え、文脈を変えて、幾通りもの言い方を絞りだす。準備したものを、準備した通りに披露するだけだと、聞き手を、自分の話の中に招き入れることはできない。うなずきや目の輝きはもちろんのこと、退屈そうにしているといった望まない反応も含めて、それも、ひとつの〝会話〟なのだと余裕を持てるようになりました。

これからも、〝言葉の貯金〟に精を出し、語彙のピークを70代へと広げていけるように、自分の脳を励ましつづけたいと思っています。

この『話題のつぼみ　会話に花を咲かせましょう』を手に取っていただき、誠に、ありがとうございます。

二〇二一年六月十九日

小俣雅子

本書は、山梨日日新聞に２０１１年10月15日付から連載中の「話題のつぼみ」より73編を選び、加筆修正したものです。

Special Thanks

守山　　泉
川手　一正
渡辺　俊之
武井　　功
八巻　信也
竹川　元久
五味　優子
宮崎　大樹
風間　　圭

小俣　雅子
（おまた・まさこ）

コミュニケーションデザイナー®、アナウンサー・エッセイスト、東京学芸大学客員教授。
1952年生まれ。山梨県都留市出身。東京学芸大学を卒業後、文化放送にアナウンサーとして入局。「吉田照美のやる気MANMAN！」（文化放送）、「三宅裕司と小俣雅子のガバッといただきベスト30」（ニッポン放送）などのラジオ番組に出演。現在は、都留文科大学などで講座を開講。著書に、『気分のいい日を「ことば」がつくる』（東京書籍）、『たった1分で愛される人の話し方80のスイッチ』（集英社）など。

話題のつぼみ　会話に花を咲かせましょう

二〇二一年七月三十一日　第一刷発行

著　者　**小俣　雅子**

発行所　山梨日日新聞社
〒400-8515
山梨県甲府市北口二丁目6-10
電話　055-231-3105

印　刷　電算印刷株式会社

ISBN978-4-89710-573-4